GRAMMAR HOUSE

초등영문법

Longman
GRAMMAR HOUSE 초등영문법 3

지은이 교재개발연구소
편집 및 기획 English Nine
발행처 Pearson Education South Asia Pte Ltd.
판매처 inkedu(inkbooks)
전화 02-455-9620(주문 및 고객지원)
팩스 02-455-9619
등록 제13-579호

ISBN 978-11-88228-50-8 (63740)

Longman

GRAMMAR HOUSE

초등영문법

GRAMMAR HOUSE 초등영문법 시리즈는
총 6권으로 영어 문법을 처음 시작하는 초등학생들이 초등영문법을
완전 마스터할 수 있게 구성되어 있습니다.
간략하고 쉬운 문법 설명과 반복되는 문제들을 풀다보면
어느새 문법이 친근하게 느껴집니다.

GRAMMAR HOUSE 1

- 명사
- 명사의 복수형
- 인칭대명사 I
- be동사
- 형용사 I
- be동사 부정문
- be동사 의문문
- 지시대명사
- 일반동사
- 일반동사의 변화
- 일반동사 부정문
- 일반동사 의문문
- can의 쓰임
- be going to의 쓰임
- 지시형용사
- 인칭대명사 II
- **초등 2~4학년**

GRAMMAR HOUSE 2

- 셀 수 없는 명사
- 정관사
- There is / There are
- There is / There are – 부정문과 의문문
- 형용사 II
- 부사
- 기수와 서수
- 수 읽기
- be동사 과거형
- 일반동사 과거형
- 일반동사 과거형 – 부정문 / 의문문
- 명령문
- 시간 전치사
- 장소 / 위치 전치사
- 의문사와 의문문 I
- 의문사와 의문문 II
- **초등 2~4학년**

GRAMMAR HOUSE 3

- 셀 수 없는 명사의 수량 표시
- some / any
- many / much / a lot of와 a few / a little
- 인칭대명사 III – 소유격 / 소유대명사
- 현재진행형
- 현재진행형 – 부정문 / 의문문
- 과거진행형
- it의 다양한 쓰임
- 방향 전치사
- 빈도부사
- 접속사 I
- How + 형용사 / 부사
- 조동사 will
- must와 have to
- 조동사 can
- 감탄문
- **초등 3~5학년**

GRAMMAR HOUSE 4

- 시각 / 분수 읽기
- 전치사 I
- 접속사 II
- 부가의문문
- 조동사 may
- must / can't / will be able to
- 비교급
- 최상급
- What / Which
- Why / Where / When
- Who / Whose / How
- Who / What 주어 역할
- 동사의 쓰임
- 감각동사
- 수여동사
- 동명사 / 진행형
- **초등 3~5학년**

GRAMMAR HOUSE 5

- 재귀대명사
- 부정대명사 I
- 부정대명사 II
- 부정대명사 III
- 동명사
- to부정사
- 동사 + 동명사 / 동사 + to부정사
- 제안 / 권유 표현
- 현재분사
- 과거분사
- 수동태 I
- 수동태의 부정문과 의문문
- 조동사 – would like to / had better
- 의문사 + 조동사로 묻고 대답하기
- 전치사 II
- 접속사 III
- **초등 4~6학년**

GRAMMAR HOUSE 6

- 문장의 5형식 I – 1형식 / 2형식 문장
- 문장의 5형식 II – 3형식 / 4형식 문장
- 문장의 5형식 III – 5형식 문장
- by 이외의 수동태
- to부정사의 용법 I – 명사 / 형용사 역할
- to부정사의 용법 II – 부사 역할
- to부정사와 동명사
- 동명사와 현재분사
- 현재완료 I – 완료 / 결과
- 현재완료 II – 경험 / 계속
- 현재완료 III – 부정문 / 의문문
- 현재완료시제와 과거시제
- 관계대명사
- 주격 관계대명사
- 목적격 관계대명사
- 관계대명사 what과 tha
- **초등 5~중 1학년**

GRAMMAR HOUSE 3

셀 수 없는 명사의 수량 표시

셀 수 없는 명사의 수량 표시

셀 수 있는 명사의 수량을 나타낼 때에는 셀 수 있는 명사 앞에 [one, two, three+명사]의 형태로 표현합니다. 명사가 둘 이상이면 복수형으로 바꿔줍니다.

one pencil 연필 한 개 two pencils 연필 두 개 five pencils 연필 다섯 개

셀 수 없는 명사는 말 그대로 셀 수는 없지만 양으로 표현할 수 있습니다. '우유 한 개', '우유 두 개'라고 말할 수는 없지만 '우유 한 병', '우유 두 병' 등으로 표현할 수 있습니다. 셀 수 없는 명사에 따라 단위나 물질이 담겨 있는 용기를 이용하여 양을 표현합니다.

셀 수 없는 명사의 수량 표현

셀 수 없는 명사	단위 / 용기	표현
bread / cheese / pizza	piece / slice (조각)	a piece [slice] of bread 빵 한 조각 two pieces [slices] of bread 빵 두 조각
water / juice / milk	glass (잔 - 차가운 음료)	a glass of water 물 한 잔 two glasses of water 물 두 잔
tea / coffee	cup (잔 - 뜨거운 음료)	a cup of tea 차 한 잔 two cups of tea 차 두 잔
wine / beer / juice	bottle (병)	a bottle of wine 와인 한 병 two bottles of wine 와인 두 병
bread	loaf (덩어리)	a loaf of bread 빵 한 덩어리 two loaves of bread 빵 두 덩어리
rice / soup	bowl (그릇, 대접)	a bowl of rice 밥 한 그릇 two bowls of rice 밥 두 그릇
sugar / salt / flour	bag (자루, 부대, 봉지)	a bag of sugar 설탕 한 자루 two bags of sugar 설탕 두 자루

Tips 복수를 나타낼 때에는 용기나 단위를 복수형으로 하며, 한 잔이나 한 병 등을 표현할 때 one이 아닌 a를 사용합니다.

a cup of coffee 커피 한 잔
two cups of coffee 커피 두 잔
three cups of coffee 커피 세 잔

a bag of salt 소금 한 봉지
two bags of salt 소금 두 봉지
three bags of salt 소금 세 봉지

셀 수 없는 명사는 양으로 표현할 수 있습니다.

1 다음 우리말과 의미가 같도록 괄호 안에서 알맞은 말을 고르세요.

01   → 우유 한 잔 a (cup / glass) of milk

02  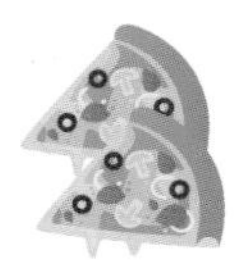 → 피자 두 조각 two (pieces / glasses) of pizza

03   → 수프 한 그릇 a (glass / bowl) of soup

04 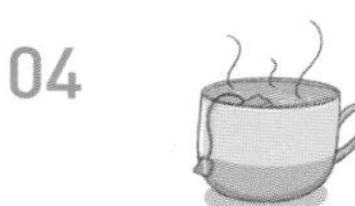 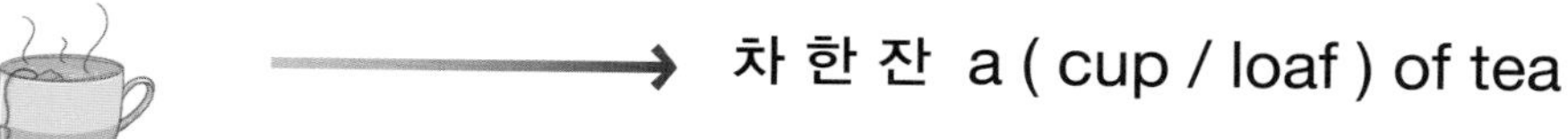 → 차 한 잔 a (cup / loaf) of tea

05  → 탄산음료 여섯 병 six (cups / bottles) of soda

06  → 빵 한 덩어리 a (loaf / loaves) of bread

07  → 커피 세 잔 three (cups / bags) of coffee

08  → 물 여섯 잔 six (bowls / glasses) of water

09  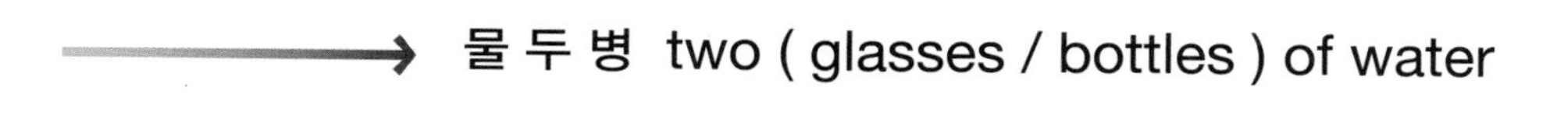 → 물 두 병 two (glasses / bottles) of water

10  → 빵 두 덩어리 two (loaves / slices) of bread

WORDS

milk 우유 **pizza** 피자 **soup** 수프 **tea** 차 **soda** 탄산음료 **bread** 빵

Guide

셀 수 없는 명사에 따라 단위나 용기를 이용하여 양을 표현합니다.

1 다음 우리말을 영어로 쓰세요.

01 커피 세 잔 → three cups of coffee

02 피자 한 조각 → ____________

03 우유 두 잔 → ____________

04 커피 한 잔 → ____________

05 설탕 한 봉지 → ____________

06 소금 두 자루 → ____________

07 밥 한 그릇 → ____________

08 맥주 세 병 → ____________

09 빵 네 덩어리 → ____________

10 우유 다섯 잔 → ____________

11 밀가루 세 봉지 → ____________

12 주스 여섯 병 → ____________

13 치즈 두 조각 → ____________

14 수프 한 그릇 → ____________

15 와인 세 병 → ____________

WORDS

coffee 커피 sugar 설탕 salt 소금 rice 밥, 쌀 beer 맥주 bread 빵 flour 밀가루 cheese 치즈 soup 수프 wine 와인

셀 수 없는 명사의 수량 표현은 [수량+단위명사+of+명사]의 형태입니다.

1 다음 주어진 단어를 이용하여 문장을 완성하세요.

01 그녀는 소금 한 부대가 필요하다. (needs / bag / salt)

→ She ____needs a bag of salt____.

02 제시는 빵 세 덩어리가 있다. (has / loaf / bread)

→ Jessie ________________.

03 나의 여동생은 아침식사로 수프 한 그릇을 먹는다. (eats / bowl / soup)

→ My sister ________________ for breakfast.

04 나의 엄마는 매일 커피 한 잔을 마신다. (drinks / cup / coffee)

→ My mom ________________ every day.

05 그녀는 와인 다섯 병을 원한다. (wants / bottle / wine)

→ She ________________.

2 다음 우리말과 일치하도록 밑줄 친 부분을 바르게 고치세요.

01 I drink two glass of milk every day. → ____glasses____
나는 매일 우유 두 잔을 마신다.

02 We need three bowls of flour. → ________
우리는 밀가루 세 자루가 필요하다.

03 Sam has five loaf of bread. → ________
샘은 빵이 다섯 덩어리 있다.

04 Jessie has three cups of soda. → ________
제시는 탄산음료 세 병이 있다.

05 He eats two bowls of pizza for lunch. → ________
그는 점심식사로 피자 두 조각을 먹는다.

WORDS

need 필요하다 **salt** 소금 **soup** 수프 **breakfast** 아침식사 **drink** 마시다 **every day** 매일 **wine** 와인 **bowl** 그릇 **flour** 밀가루 **soda** 탄산음료 **lunch** 점심식사

some / any

본문 강의

some의 의미와 쓰임

some과 any는 사물의 수와 양을 정확히 표현하는 대신 대략적인 수나 양을 표현할 때 사용합니다.
some은 '약간의', '몇몇의'의 뜻으로 주로 긍정문에 쓰입니다.
some 다음에는 복수명사와 셀 수 없는 명사가 옵니다.

some (약간의, 몇몇의, 조금의)	**+ 복수명사 / 셀 수 없는 명사**	I have **some cookies.** 나는 과자가 좀 있다. I have **some water.** 나는 물이 좀 있다.

의문문에 사용하는 some

some은 주로 긍정문에 쓰이지만 상대방에게 음식을 권하거나 무엇을 부탁할 때에는 의문문에 사용할 수 있습니다.

some (조금의, 약간의)	**+ 복수명사 / 셀 수 없는 명사**	Would you like **some** coffee? - 권유 커피 좀 드시겠습니까? Would you like **some** cookies? - 권유 쿠키 좀 드시겠습니까? Can I get **some** water? - 부탁 물 좀 주시겠습니까?

Tips would, can, could는 조동사라고 하며, 상대방에게 정중히 뭔가를 요청하거나 제안할 때 사용합니다.
A: Would you open the door? 문 좀 열어주시겠습니까?
B: Sure. 예

any의 의미와 쓰임

any는 '약간의', '하나도'라는 의미로 부정문이나 의문문에 주로 쓰입니다.

any (부정문 – 아무것도, 조금도, 아무도) (의문문 – 무슨, 어떤, 약간)	**+ 복수명사 / 셀 수 없는 명사**	I don't have **any** water. 나는 물이 하나도 없다. She doesn't have **any** plans. 그녀는 계획이 하나도 없다. Do you have **any** questions? 너는 어떤 질문이 있니?

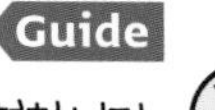

some과 any는 사물의 수와 양을 대략적으로 표현합니다.

1 다음 괄호 안에서 알맞은 것을 고르세요.

01 I ate (some / any) cookies.
나는 쿠키를 조금 먹었다.

02 She doesn't have (some / any) money.
그녀는 돈이 조금도 없다.

03 Can I have (some / any) paper?
내게 종이를 좀 줄 수 있나요?

04 Do you have any (friend / friends)?
너는 친구가 좀 있니?

05 There are (some / any) flowers in the garden.
정원에 꽃들이 좀 있다.

06 I don't have (some / any) pets.
나는 애완동물이 하나도 없다.

07 Would you like (some / any) tea?
차 좀 마시겠습니까?

08 Amy doesn't have any (coin / coins).
에이미는 동전이 하나도 없다.

09 I don't have (some / any) classes today.
나는 오늘 수업이 하나도 없다.

10 Can I get (some / any) water?
물 좀 줄 수 있나요?

11 There isn't (some / any) juice in the bottle.
병에 주스가 하나도 없다.

12 Is there (some / any) cheese on the plate?
접시 위에 치즈가 좀 있니?

WORDS

cookie 쿠키 money 돈 paper 종이 flower 꽃 garden 정원 pet 애완동물 tea 차 coin 동전 class 수업 today 오늘 bottle 병 plate 접시

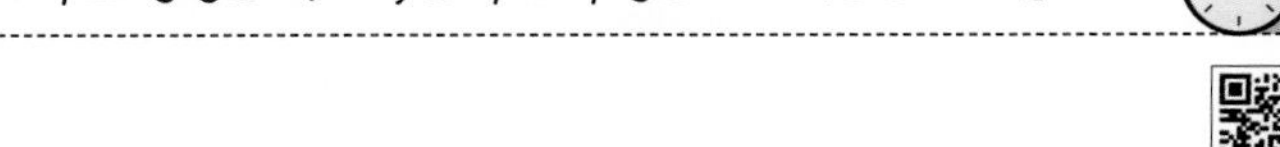

1 다음 빈칸에 some이나 any를 넣으세요.

01 I have ___some___ friends in England.
나는 영국에 친구가 몇 명 있다.

02 She doesn't have __________ friends in Korea.
그녀는 한국에 친구가 하나도 없다.

03 I would like __________ coffee.
나는 커피를 좀 마시고 싶다.

04 There is __________ milk in the bottle.
병에 우유가 좀 있다.

05 Can you give me __________ money?
내게 돈을 좀 줄 수 있나요?

06 Do you have __________ brothers?
너는 형제들이 있니?

07 You look thirsty. I will get you __________ water.
너는 목말라 보인다. 내가 너에게 물을 좀 줄 것이다.

08 Does he have __________ plans this weekend?
이번 주말 그는 어떤 계획이 있니?

09 I don't have __________ family.
나는 일가 친척이 전혀 없다.

10 Do you have __________ children?
자녀가 있나요?

11 I don't need __________ advice.
나는 조언이 하나도 필요 없다.

12 There are __________ people in the museum.
박물관에 사람들이 몇 명 있다.

WORDS

England 영국 **Korea** 한국 **bottle** 병 **give** 주다 **money** 돈 **thirsty** 목마른 **plan** 계획 **weekend** 주말 **family** 가족, 친척 **children** 자녀 **advice** 조언, 충고 **people** 사람들 **museum** 박물관

Guide

some과 any 다음에는 복수명사와 셀 수 없는 명사가 옵니다.

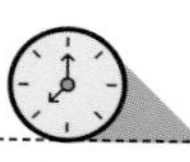

1 다음 우리말과 일치하도록 주어진 단어와 some과 any를 이용하여 문장을 완성하세요.

01 나는 점심식사로 피자를 좀 먹었다. (pizza / had / for lunch)

→ I had some pizza for lunch.

02 그녀는 야채를 아무것도 사지 않았다. (buy / vegetables)

→ She didn't ______________________.

03 케이크를 좀 먹어도 되나요? (cake / eat)

→ Can I ______________________?

04 커피 좀 드시겠습니까? (like / coffee)

→ Would you ______________________?

05 나는 너를 위해 쿠키를 좀 구울 것이다. (bake / cookies / for you)

→ I'm going to ______________________.

06 넌 여자 형제나 남자 형제가 있니? (have / sisters and brothers)

→ Do you ______________________?

07 나는 치즈가 좀 필요하다. (cheese / need)

→ I ______________________.

08 꽃병이 꽃이 좀 있니? (in the vase / flowers)

→ Are there ______________________?

09 케이크 좀 드시겠습니까? (like / cake)

→ Would ______________________?

10 그녀는 빵을 좀 살 예정이다. (bread / buy)

→ She's going to ______________________.

11 신디는 약을 조금도 먹지 않았다. (medicine / take)

→ Cindy didn't ______________________.

12 너는 오늘 숙제가 좀 있니? (have / homework / today)

→ Do you ______________________?

WORDS

lunch 점심식사 **buy** 사다 **vegetable** 야채 **eat** 먹다 **cookie** 쿠키 **cheese** 치즈 **vase** 꽃병 **flower** 꽃 **cake** 케이크 **bread** 빵 **medicine** 약 **homework** 숙제

Chapter 03 many/much/a lot of와 a few/a little

many / much / a lot of

사물의 수와 양을 정확히 수로 표현하는 대신 그냥 '많음'으로 표현할 때 many와 much, a lot of를 사용합니다. 의미는 같지만 many는 복수명사, much는 셀 수 없는 명사 앞에, 그리고 a lot of는 복수명사와 셀 수 없는 명사 앞에 모두 올 수 있습니다.

many (수가 많은)	+ 셀 수 있는 명사(복수형) (bags, coins, chairs, forks...)	There are **many people** in the gym. 체육관에 사람이 많다. Do you have **many friends**? 너는 친구가 많이 있니?
much (양이 많은)	+ 셀 수 없는 명사 (water, bread, sugar, coffee...)	He doesn't have **much salt**. 그는 소금을 많이 가지고 있지 않다. Do you have **much money**? 너는 돈이 많이 있니?
a lot of (수/양이 많은)	+ 셀 수 있는 명사(복수형) / 셀 수 없는 명사	I have **a lot of friends**. 나는 친구들이 많다. There is **a lot of salt** in the jar. 항아리에 소금이 많다.

Tips many와 much는 보통 긍정문보다 의문문과 부정문에 주로 사용합니다. 그러나 There is/are ~ 문장에서는 긍정문에도 many를 자주 사용합니다. many, much와 달리 a lot of는 모든 문장에서 자주 사용합니다.

a few와 a little의 쓰임

사물의 수와 양을 그냥 '적음'으로 표현할 때 a few와 a little을 사용합니다. a few와 a little은 의미는 같으나 a few는 복수명사와 a little은 셀 수 없는 명사와 함께 사용합니다.

a few (몇 개의, 몇몇의, 조금의)	+ 셀 수 있는 명사(복수형) (people, books, questions)	I have **a few books**. 나는 책들이 조금 있다. There are **a few people** in the café. 카페 안에 사람이 조금 있다.
a little (적은, 약간의, 조금의)	+ 셀 수 없는 명사 (water, time, sugar, coffee...)	There is **a little water** in the bucket. 양동이에 물이 조금 있다. I save **a little money** every month. 나는 매달 약간의 돈을 저축한다.

Tips 부정관사가 없는 few와 little은 '거의 없다'라는 부정의 의미입니다.
There are few people in the cafe. 카페 안에 사람이 거의 없다.
There is little water in the bucket. 양동이에 물이 거의 없다.

'많음'으로 표현할 때 many와 much, a lot of를 사용합니다.

1 다음 괄호 안에서 알맞은 것을 고르세요.

01 Do you have many (coin / coins) in your pocket?
너는 주머니에 동전이 많이 있니?

02 Sam has a lot of (toy / toys) in his room.
샘은 그의 방에 많은 장난감들이 있다.

03 My mom needs (a little / a few) sugar.
나의 엄마는 설탕이 조금 필요하다.

04 There isn't (much / many) water in the bucket.
양동이에 많은 물이 없다.

05 There are many (computer / computers) in the store.
상점에 많은 컴퓨터들이 있다.

06 There is (a little / a few) milk in the bottle.
병에 우유가 조금 있다.

07 The man has (a little / a few) money.
그 남자는 돈이 조금 있다.

08 Do you have (many / much) friends?
너는 친구가 많이 있니?

09 She has (a little / a few) books.
그녀는 책이 몇 권 있다.

10 Do you have (many / much) time for reading?
너는 독서할 시간이 많이 있니?

11 He didn't drink (many / much) water.
그는 물을 많이 마시지 않았다.

12 There are (many / much) tomatoes in the basket.
바구니에 많은 토마토들이 있다.

WORDS

pocket 주머니 **toy** 장난감 **sugar** 설탕 **bucket** 양동이 **store** 상점 **bottle** 병 **money** 돈 **time** 시간 **drink** 마시다 **water** 물 **tomato** 토마토 **basket** 바구니

'적음'으로 표현할 때 a few와 a little을 사용합니다.

1 다음 우리말과 일치하도록 보기의 표현을 이용하여 문장을 완성하세요.

a few a little many much few little

01 I have ___a few___ coins.
나는 동전이 몇 개 있다.

02 My dad drank ________ wine last night.
아빠는 지난밤에 와인을 조금 마셨다.

03 We don't need ________ apples.
우리는 많은 사과가 필요하지 않다.

04 Is there ________ water in the lake?
호수에 물이 많이 있니?

05 There are ________ people in the café.
카페 안에 사람이 거의 없다.

06 There is ________ milk in the bottle.
병에 우유가 거의 없다.

07 Does she need ________ money?
그녀는 많은 돈이 필요하니?

08 Are there ________ animals in the zoo?
그 동물원에 동물들이 많이 있니?

09 He has ________ money.
그는 돈이 조금 있다.

10 Do you have ________ friends at school?
너는 학교에 많은 친구들이 있니?

WORDS

coin 동전 **last night** 지난밤 **need** 필요하다 **lake** 호수 **people** 사람들 **café** 카페 **milk** 우유 **animal** 동물 **zoo** 동물원 **at school** 학교에

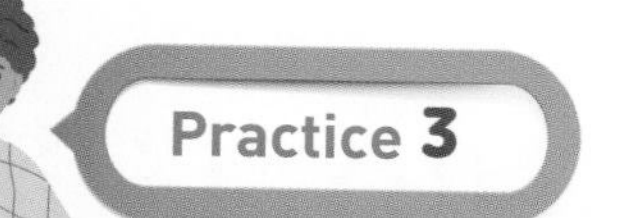

Practice 3

Guide

many와 a few는 복수명사와 much와 a little은 셀 수 없는 명사와 사용합니다.

1 다음 밑줄 친 부분을 바르게 고치세요. (고칠 필요 없으면 ○표 하세요.)

01 I have a little pencils. → a few
나는 연필이 조금 있다.

02 I have few money. → ______
나는 돈이 조금 있다.

03 My mom bought many banana at the store. → ______
나의 엄마는 가게에서 많은 바나나를 샀다.

04 Are there much potatoes in the box? → ______
상자에 감자가 많이 있니?

05 Are there a lot of books in the library? → ______
도서관에 책이 많이 있니

06 I met little people during my trip. → ______
나는 여행 동안 사람을 거의 만나지 못했다.

07 There is a lot of salt in the soup. → ______
수프에 소금이 많이 들어 있다.

08 We don't need many flour. → ______
우리는 많은 밀가루가 필요하지 않다.

09 Do you have many cap? → ______
너는 야구모자가 많이 있니?

10 We learn a lot of subjects at school. → ______
우리는 학교에서 많은 과목을 배운다.

11 There are a little chairs in the classroom. → ______
교실에 의자가 조금 있다

12 Sara drinks few milk in the morning. → ______
사라는 아침에 우유를 거의 마시지 않는다.

WORDS

pencil 연필 **bought** 사다(buy)의 과거형 **store** 상점 **potato** 감자 **library** 도서관 **during** ~ 동안 **trip** 여행 **salt** 소금 **flour** 밀가루 **cap** 야구모자 **subject** 과목 **in the morning** 아침에

Chapter 04 인칭대명사 Ⅲ - 소유격/소유대명사

1 소유격의 의미와 쓰임

소유격은 뒤에 위치한 명사의 소유를 나타내는 역할을 합니다.
소유격은 '나의 ~', '너의 ~'와 같이 소유를 나타낼 때 사용하며,
소유격 앞에 관사를 사용하지 않습니다.

This is **my** book. 이것은 나의 책이다.
That is **your** pencil. 저것은 너의 연필이다.
It is ~~a~~ **his** dog. 그것은 그의 개다.

Tips [소유격+own+명사]에서 소유격의 의미를 강조하기 위해 own을 사용합니다.
He wants his own house. 그는 그 자신의 집을 원한다. Ted started his own business. 테드는 그 자신의 사업을 시작했다.

2 이름이나 명사를 이용한 소유격

이름이나 사람을 나타내는 명사를 이용하여 '누구의 것'이라고 표현할 때에는 '이름[명사]'s'를 이용합니다.

This is **Jina's** book. 이것은 지나의 책이다. That is **my dad's** pencil. 저것은 나의 아빠의 연필이다.

Tips [소유격+사람을 나타내는 명사's+명사]
my brother's book 나의 동생의 책 her father's car 그녀의 아버지의 자동차
their mom's computer 그들의 엄마의 컴퓨터

3 소유대명사

소유대명사는 명사 없이 혼자 쓰이며 '~의 것'이라는 의미입니다. 소유격을 사용해 '나의 책'이라는 표현을 대신해 책은 '나의 것'이라고 표현할 때 소유대명사를 사용합니다.

This book is **mine.** 이 책은 나의 것이다.
→ This is **my book.**

These balls are **ours.** 이 공들은 우리의 것이다.
→ These are **our balls.**

4 소유격 / 소유대명사

주격	소유격	소유대명사
I 나는	my 나의	mine 나의 것
you 너는	your 너의	yours 너의 것
he 그는	his 그의	his 그의 것
she 그녀는	her 그녀의	hers 그녀의 것
we 우리는	our 우리의	ours 우리의 것
you 너희들은	your 너희들의	yours 너희들의 것
they 그들은	their 그들의	theirs 그들의 것

소유격은 뒤에 위치한 명사의 소유를 나타내는 역할을 합니다.

1 다음 우리말과 일치하도록 괄호 안에서 알맞은 것을 고르세요.

01 This is (her / his / their) house.
이것은 그들의 집이다.

02 Sally is (her / his / their) friend.
샐리는 그의 친구이다.

03 That is (my / their / our) store.
저것은 그들의 가게이다.

04 (I / My / Me) book is on (her / his / your) desk.
나의 책은 너의 책상 위에 있다.

05 Those pencils are (her / his / ours).
저 연필들은 그의 것이다.

06 (It / Its) is (she / her) puppy.
그것은 그녀의 강아지다.

07 (You / Your) brother is (they / their / them) friend.
너의 형은 그들의 친구다.

08 That computer is (mine / his / theirs).
저 컴퓨터는 나의 것이다.

09 This is (her dad / hers dad / her dad's) car.
이것은 그녀의 아빠의 자동차이다.

10 That bag is not (you / yours / theirs). It's your (sister / sister's) bag.
저 가방은 너의 것이 아니다. 그것은 네 여동생의 가방이다.

11 Those toys are not (mine / ours / theirs). They are (you / yours / theirs).
저 장난감들은 우리의 것이 아니다. 그것들은 너의 것이다.

12 Sam and Cathy are (her / them / their) friends.
샘과 캐시는 그들의 친구들이다.

WORDS

house 집 **friend** 친구 **store** 가게, 상점 **desk** 책상 **pencil** 연필 **puppy** 강아지 **computer** 컴퓨터 **car** 자동차 **bag** 가방 **toy** 장난감

[소유격+own+명사]에서 소유격의 의미를 강조하기 위해 own을 사용합니다.

1 다음 우리말과 일치하도록 빈칸에 알맞은 말을 쓰세요.

01 Don't use ___my___ computer.
나의 컴퓨터를 사용하지 마라.

02 He wants his ________ bicycle.
그는 그 자신의 자전거를 원한다.

03 That is ________ school.
저것은 우리의 학교다.

04 My uncle has a car. This car is ________.
나의 삼촌은 자동차가 있다. 이 자동차가 그의 것이다.

05 These caps are not ________. They are ________.
이 야구모자들은 나의 것이 아니다. 그것들은 그녀의 것이다.

06 This is not ________ puppy. It is ________.
이것은 우리의 강아지가 아니다. 그것은 그들의 것이다.

07 That is ________ ________ doll.
저것은 나의 여동생의 인형이다.

08 They are staying at ________ home.
그들은 그녀의 집에 머물고 있다.

09 These are ________ cookies and those are ________.
이것들의 너희의 쿠키이고, 저것들이 우리 것이다.

10 Cathy has a bicycle. I need ________ bicycle.
캐시는 자전거가 있다. 나는 그녀의 자전거가 필요하다.

11 He is ________ father. (John)
그는 존의 아버지이다.

12 This is not your book. This is ________.
이것은 너의 책이 아니다. 이것은 그의 것이다.

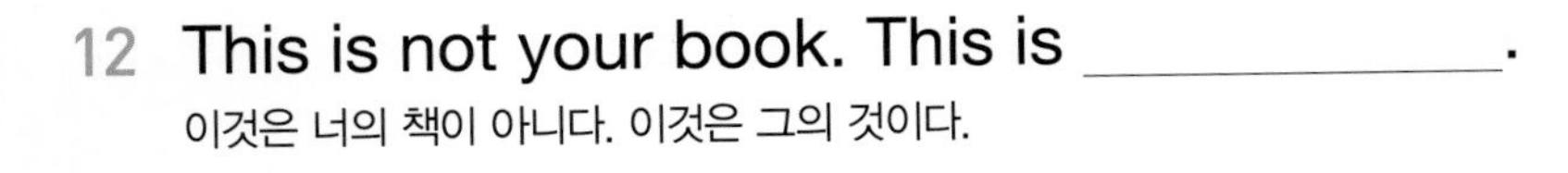

WORDS
computer 컴퓨터 bicycle 자전거 uncle 삼촌 cap 야구모자 puppy 강아지 doll 인형
stay 머물다 home 집 father 아버지 book 책

Practice 3

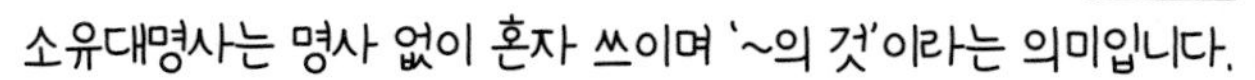

소유대명사는 명사 없이 혼자 쓰이며 '~의 것'이라는 의미입니다.

1 다음 두 문장이 뜻이 같도록 빈칸에 소유대명사를 쓰세요.

01 This is her horse. 이것은 그녀의 말이다.
→ This horse is ___hers___.

02 That is their chair. 저것은 그들의 의자다.
→ That chair is ______.

03 That is your notebook. 저것은 너의 공책이다.
→ That notebook is ______.

04 This is their house. 이것은 그들의 집이다.
→ This house is ______.

05 This is our computer. 이것은 우리의 컴퓨터다.
→ This computer is ______.

2 다음 영어를 우리말로 쓰세요.

01 My sister's bag is yellow.
→ 나의 여동생의 가방은 노란색이다.

02 This is not her doll. This doll is mine.
→ ______

03 He met their father yesterday.
→ ______

04 This is not our bicycle. This bicycle is hers.
→ ______

05 Can I borrow Mina's umbrella?
→ ______

WORDS
horse 말 **chair** 의자 **notebook** 공책 **house** 집 **yellow** 노란 **doll** 인형 **yesterday** 어제 **bicycle** 자전거 **borrow** 빌리다 **umbrella** 우산

Review Test 1

Chapter 01-04

공부한 날 : 부모님 확인 :

01> 다음 중 셀 수 없는 명사가 아닌 것을 고르세요.

① water ② milk
③ meat ④ salt
⑤ book

【02~03】 다음 중 빈칸에 알맞은 것을 고르세요.

02> I have a __________ of pizza.

① glass ② cup
③ piece ④ bowl
⑤ bottle

03> I need two __________ of water.

① slices ② loaves
③ bowl ④ pieces
⑤ bottles

【04~05】 다음 그림을 보고 빈칸에 알맞은 말을 쓰세요.

04>

→ a __________ of soup

05>

→ two __________ of juice

【06~08】 다음 중 빈칸에 알맞은 것을 고르세요.

06> She doesn't have __________ friends in Korea.
그녀는 한국에 친구가 하나도 없다.

① any ② many
③ some ④ much
⑤ all

07> I would like __________ coffee.
나는 커피를 좀 마시고 싶다.

① any ② many
③ some ④ much
⑤ all

08> Can I get __________ water?
물 좀 주시겠어요?

① any ② many
③ some ④ much
⑤ all

【09~10】 다음 중 빈칸에 알맞지 않은 것을 고르세요.

09> There are a few __________ in the café.

① boys ② tables
③ people ④ bread
⑤ lamps

10> There is a little ___________ in the glass.

① water ② milk
③ juice ④ wine
⑤ cookies

11> 다음 중 빈칸에 알맞은 것끼리 바르게 짝지어진 것을 고르세요.

- There isn't ___________ milk in the refrigerator.
- They watched ___________ movies during the weekend.

① many - much
② some - some
③ any - any
④ some - any
⑤ any - some

12> 다음 중 밑줄 친 부분이 어색한 문장을 고르세요.

① My mom needs a little sugar.
② He has a lot of model airplanes.
③ Do you have much pets in your house?
④ Would you like some food?
⑤ I have some cheese.

【13~15】 다음 그림을 보고 빈칸에 알맞은 말을 쓰세요.

13>

There are ___________ apples in the basket. 바구니에 사과가 몇 개 있다.

→ ___________

14>

He has ___________ friends in Korea. 그는 한국에 친구가 거의 없다.

→ ___________

15>

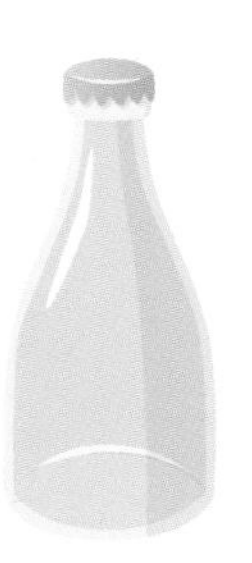

There is not ___________ water in the bottle. 그 병 안에는 물이 전혀 없다.

→ ___________

16> 다음 중 빈칸에 공통으로 알맞은 것을 고르세요.

- She's going to buy ___________ vegetables.
- Would you like ___________ cake?

① many ② some
③ any ④ much
⑤ a lot of

【17~18】 다음 중 빈칸에 올 수 없는 것을 고르세요.

17> There is ___________ book on the table.

① his ② hers
③ my ④ our
⑤ your

18> The backpack is ___________.

① his ② hers
③ mine ④ their
⑤ yours

【19~20】 다음 중 어색한 문장을 고르세요.

19> ① There are some books in the box.
② There aren't any students in the classroom.
③ There are a few book in the bag.
④ I have a lot of friends in Canada.
⑤ This book is not mine.

20> ① He doesn't have much money.
② There are a lot of stars in the sky.
③ There is some coins on the table.
④ He wants his own bicycle.
⑤ This is Donovan's room.

21> 다음 밑줄 친 말을 대신할 수 있는 것을 쓰세요.

Are there many books in the library?

→ ___________

【22~23】 다음 중 우리말을 영어로 바르게 쓴 것을 고르세요.

22> 그는 돈이 거의 없다.

① He has little money.
② He has a little money.
③ He has few money.
④ He has a few money.
⑤ He isn't have much money.

23› 저것은 나의 아버지의 자동차이다.

① That is my father car.
② That is my father's car.
③ That is mine father's car.
④ That is mine father car.
⑤ That is father car.

【24~26】 다음 우리말과 일치하도록 빈칸에 들어갈 말을 쓰세요.

24› This is ____________ mom's computer.
이것은 그들의 엄마의 컴퓨터다.

→ ____________________

25› That is ____________ school.
저것은 우리의 학교다.

→ ____________________

26› This book is not ____________.
It's ____________.
이 책은 너의 것이 아니다. 그것은 나의 것이다.

→ ____________________

【27~28】 다음 문장에서 틀린 부분을 찾아 바르게 고쳐 다시 쓰세요.

27› He doesn't drink many milk.
그는 많은 우유를 마시지 않는다.

→ ____________________

28› Jessie has three loaf of bread.
제시는 빵이 세 덩어리 있다.

→ ____________________

【29~30】 다음 우리말과 일치하도록 주어진 단어를 이용하여 문장을 완성하세요.

29›

SUGAR SUGAR

그녀는 설탕 두 자루가 필요하다.
(needs / bag / sugar)

→ She ____________________.

30›

MILK

병에 우유가 거의 없다.
(milk / in the bottle)

→ There is ____________________.

Chapter 05 현재진행형

1 현재진행형의 의미와 쓰임

현재진행형이란 현재 시점에서 어떤 동작이 진행되고 있는 상황을 나타내기 위해 쓰며, '~하고 있다', '~하고 있는 중이다'라고 해석합니다. 현재진행형은 [be동사(am/is/are)+동사원형+-ing]의 형태가 되어야 합니다.

I	am	+	동사원형 + -ing ~.
He / She / It / 단수명사	is		
We / You / They / 복수명사	are		

I **am reading** a book. 나는 책을 읽는 중이다.
She **is playing** the piano. 그녀는 피아노를 치는 중이다.
Sam and Jane **are singing** a song. 샘과 제인은 노래를 부르고 있다.

2 동사 -ing형 만들기

대부분의 동사에는 -ing를 붙입니다.	rain → raining 비 오다 study → studying 공부하다	eat → eating 먹다 play → playing 놀다
[자음+e]로 끝나는 동사는 마지막 -e를 빼고 -ing를 붙입니다.	live → living 살다 come → coming 오다	move → moving 옮기다 dive → diving 다이빙하다
-ie로 끝나는 동사는 -ie를 -y로 바꾸고 -ing를 붙입니다.	die → dying 죽다	tie → tying 묶다
[자음+모음+자음] 또는 [자음+자음+모음+자음]으로 이루어진 단어는 마지막 자음을 한 번 더 쓰고 -ing를 붙입니다. (단, w/x/y 제외)	hit → hitting 치다 stop → stopping 멈추다 swim → swimming 수영하다	cut → cutting 자르다 run → running 달리다 (fix → fixing) 고치다

Tips

- 진행형으로 만들 수 없는 동사 – 진행형은 동작의 움직임을 표현하기 위해 사용하는데 like/hate/love와 같은 동사는 동작을 나타내는 것이 아닌 우리가 볼 수 없는 감정을 표현하는 동사라 진행형으로 쓰지 않습니다.
  I am hating carrots. (X) I hate carrots. 나는 당근을 싫어한다.
- 또한 '무엇을 가지고 있다'라는 의미의 have도 진행형으로 사용하지 않습니다.
  I am having a computer. (X) I have a computer. 나는 컴퓨터가 있다.
- 그러나 have가 '먹다, 마시다, 경험하다' 등의 의미일 때에는 진행형으로 쓸 수 있습니다.
  They are having pizza. 그들은 피자를 먹고 있다.

Practice 1

현재진행형은 대부분의 동사에는 -ing를 붙입니다.

1 다음 단어의 뜻을 쓰고 -ing 형태로 바꾸세요.

	뜻	진행형		뜻	진행형
01 read	읽다	reading	02 play		
03 ride			04 stop		
05 cut			06 fix		
07 drink			08 listen		
09 sing			10 watch		
11 make			12 swim		
13 arrive			14 buy		
15 speak			16 help		
17 hit			18 write		
19 fly			20 wait		

WORDS

ride 타다 **fix** 고치다 **listen** 듣다 **arrive** 도착하다 **speak** 말하다 **write** 쓰다 **fly** 날다

현재진행형은 [be동사(am/is/are)+동사원형+-ing]의 형태입니다.

1 다음 문장을 주어진 단어를 이용하여 현재진행형으로 쓰세요.

01 I ___am___ ___cleaning___ my room. (clean)
나는 내 방을 청소하고 있다.

02 My friends __________ __________ in the river. (swim)
내 친구들은 강에서 수영하고 있다.

03 My dad __________ __________ the dishes. (wash)
나의 아빠는 설거지를 하고 계시다.

04 They __________ __________ pictures. (draw)
그들은 그림을 그리고 있다.

05 My brother __________ __________ a bicycle. (ride)
나의 남동생은 자전거를 타고 있다.

06 He __________ __________ for the bus. (wait)
그는 버스를 기다리고 있다.

07 The horses __________ __________ fast. (run)
그 말들은 빠르게 달리고 있다.

08 He __________ __________ the window. (close)
그는 창문을 닫고 있다.

09 Alice __________ __________ her uncle. (meet)
앨리스는 그녀의 삼촌을 만나고 있다.

10 They __________ __________ on the sofa. (sit)
그들은 소파에 앉아 있다.

11 Ted __________ not __________ computer games now. (play)
테드는 지금 컴퓨터 게임을 하고 있지 않다.

12 My dad __________ __________ to the bus stop. (go)
나의 아빠는 버스 정류장으로 가고 계시다.

WORDS

clean 청소하다 **river** 강 **dish** 접시 **wash** 닦다 **picture** 그림 **draw** 그리다
bicycle 자전거 **horse** 말 **window** 창문 **uncle** 삼촌 **now** 지금 **bus stop** 버스 정류장

현재진행형은 현재 시점에서 진행되고 있는 상황을 나타냅니다.

1 다음 우리말과 일치하도록 보기의 단어를 이용하여 현재진행형 문장을 완성하세요.

make	sleep	wear	cut	play
walk	watch	buy	drink	take

01 The woman ___is___ ___making___ pizza.
그 여성은 피자를 만들고 있다.

02 He ________ ________ a shower.
그는 샤워를 하고 있다.

03 She ________ ________ sunglasses.
그녀는 선글라스를 쓰고 있다.

04 Mike ________ ________ TV.
마이크는 TV를 보고 있다.

05 The boy ________ ________ the piano.
그 소년은 피아노를 연주하고 있다.

06 They ________ ________ tropical fruits.
그들은 열대 과일을 사고 있다.

07 They ________ ________ along the street.
그들은 길을 따라 걷고 있다.

08 My father ________ ________ beer.
나의 아빠는 맥주를 마시고 계시다.

09 The cats ________ ________ on the sofa.
그 고양이들은 소파에서 자고 있다.

10 My mom ________ ________ the paper.
나의 엄마는 종이를 자르고 계시다.

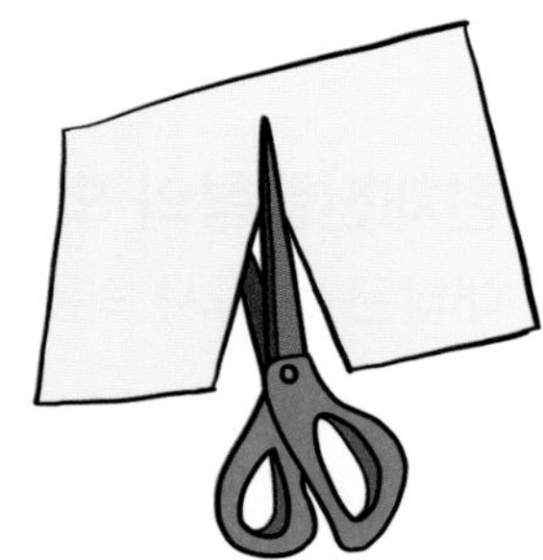

WORDS

cut 자르다 **woman** 여자 **shower** 샤워 **sunglasses** 선글라스 **piano** 피아노
tropical fruit 열대 과일 **along** ~을 따라 **street** 거리, 길 **beer** 맥주 **paper** 종이

현재진행형 - 부정문/의문문

현재진행형의 부정문

현재진행형 부정문은 be동사(am/is/are) 뒤에 not을 붙이며, '~하고 있지 않다'라고 해석합니다.

I	am not	+	동사원형 + -ing ~.
He / She / It / 단수명사	is not = isn't		
We / You / They / 복수명사	are not = aren't		

I am watching TV. 나는 TV를 보고 있다.

→ I **am not watching** TV. 나는 TV를 보고 있지 않다.

She is singing. 그녀는 노래를 부르고 있다.

→ She **is not singing.** 그녀는 노래를 부르고 있지 않다.

2 현재진행형의 의문문

현재진행형 의문문은 be동사(am/is/are)를 주어 앞으로 보내며, '~하고 있니?', '~하는 중이니?' 등으로 해석합니다.

Is	he / she / it / 단수명사	+	동사원형 + -ing ~?
Are	we / you / they / 복수명사		

You are eating pizza. 너는 피자를 먹고 있다.

→ **Are** you **eating** pizza? 너는 피자를 먹고 있니?

He is playing the guitar. 그는 기타를 치고 있다.

→ **Is** he **playing** the guitar? 그는 기타를 치고 있니?

현재진행형의 의문문에 대한 대답

대답은 be동사 의문문과 똑같은 방식으로 be동사를 이용하여 대답합니다.

A: **Are** you **reading** the newspaper? 너는 신문을 읽고 있니?
B: Yes, I **am.** 응, 그래.

A: **Is** your father **taking** a walk? 너의 아버지는 산책을 하고 계시니?
B: No, he **isn't.** 아니, 그렇지 않아.

Tips 명사 주어로 물어보더라도 대답은 대명사 주어로 바꿔서 대답합니다.
A: Is your sister wearing glasses? 너의 여동생은 안경을 쓰고 있니?
B: No, she isn't. 아니, 그렇지 않아.

Guide
현재진행형 부정문은 [be동사(am/is/are)+not+동사원형+ing] 형태입니다.

1 다음 문장을 지시대로 바꾸세요.

01 I am singing a song. 나는 노래하고 있다.
부정문 I am not singing a song.

02 He is making a snowman. 그는 눈사람을 만들고 있다.
부정문 ____________________

03 The man is sitting on the sofa. 그 남자는 소파에 앉아 있다.
부정문 ____________________

04 We are playing tennis. 우리는 테니스를 치고 있다.
부정문 ____________________

05 You are waiting for the school bus. 너는 학교버스를 기다리고 있다.
의문문 ____________________

06 He is staying at home. 그는 집에 머물러 있다.
의문문 ____________________

07 You are writing a letter. 너는 편지를 쓰고 있다.
의문문 ____________________

08 Cindy is swimming in the pool. 신디는 수영장에서 수영하고 있다.
부정문 ____________________

09 He is sleeping on the bed. 그는 침대에서 자고 있다.
부정문 ____________________

10 Cathy is meeting Tony. 캐시는 토니를 만나고 있다.
의문문 ____________________

11 I am painting the wall. 나는 벽을 페인트칠을 하고 있다.
부정문 ____________________

12 Her father is driving the bus. 그녀의 아버지는 버스를 운전하고 계시다.
의문문 ____________________

WORDS
song 노래 **snowman** 눈사람 **sofa** 소파 **play tennis** 테니스를 치다 **wait** 기다리다 **stay** 머물다 **letter** 편지 **pool** 수영장 **sleep** 자다 **meet** 만나다 **paint** 페인트칠하다 **wall** 벽

현재진행형 대답은 be동사 의문문과 같은 방식으로 대답합니다.

1 다음 우리말과 일치하도록 대화의 빈칸에 알맞은 말을 쓰세요.

01 A: ___Are___ they playing soccer? 그들은 축구를 하고 있니?
B: ___Yes___, ___they___ are. 응, 그래.

02 A: Is your mother watching TV? 네 엄마는 TV를 보고 계시니?
B: Yes, ________ ________. 응, 그래.

03 A: Is ________ having dinner? 그는 저녁을 먹고 있니?
B: ________, he ________. 아니, 그렇지 않아.

04 A: Are your friends playing baseball? 네 친구들은 야구를 하고 있니?
B: Yes, ________ ________. 응, 그래.

05 A: ________ she swimming in the pool? 그녀는 수영장에서 수영하고 있니?
B: No, ________ ________. 아니, 그렇지 않아.

06 A: ________ he baking cookies? 그는 쿠키를 굽고 있니?
B: ________, ________ is. 응, 그래.

07 A: Is your sister having lunch? 네 여동생은 점심식사를 하고 있니?
B: ________, ________ isn't. 아니, 그렇지 않아.

08 A: ________ the students learning English? 그 학생들은 영어를 배우고 있니?
B: Yes, ________ ________. 응, 그래.

09 A: Is your mother wearing glasses? 네 어머니는 안경을 쓰고 계시니?
B: ________, ________ ________. 아니, 그렇지 않아.

10 A: ________ they drinking water? 그들은 물을 마시고 있니?
B: No, ________ ________. 아니, 그렇지 않아.

11 A: ________ the boys listening to music? 그 소년들은 음악을 듣고 있니?
B: Yes, ________ are. 응, 그래.

12 A: ________ he fixing the bicycle? 그는 자전거를 고치고 있니?
B: Yes, ________ ________. 응, 그래.

WORDS
play soccer 축구를 하다 dinner 저녁식사 play baseball 야구를 하다 pool 수영장 bake 굽다 cookie 쿠키 lunch 점심식사 learn 배우다 glasses 안경 music 음악 fix 고치다

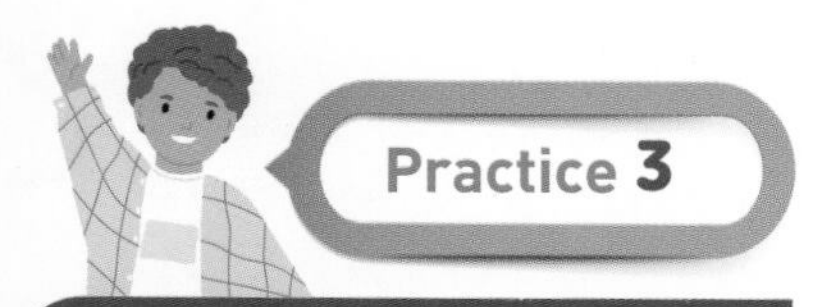

Guide

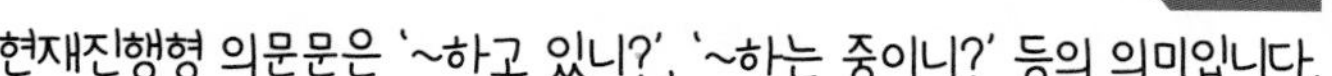

1 다음 우리말과 일치하도록 주어진 단어를 이용하여 문장을 완성하세요.

01 그들은 영화를 보고 있니? (watch / a movie)

→ ___Are___ they ___watching a movie___?

02 그녀는 설거지를 하고 있지 않다. (wash / the dishes)

→ She ______________________.

03 내 여동생은 그녀의 방을 청소하고 있지 않다. (clean / her room)

→ My sister ______________________.

04 너의 친구들이 나무를 심고 있니? (plant / a tree)

→ ________ your friends ______________________?

05 너의 엄마는 소파에서 주무시고 계시니? (sleep / on the sofa)

→ ________ your mom ______________________?

06 그 아이들은 스파게티를 먹고 있니? (eat / spaghetti)

→ ________ the children ______________________?

07 나는 지금 엄마를 도와주고 있지 않다. (help / my mom)

→ I ______________________ now.

08 샘은 영어 공부를 하고 있지 않다. (study / English)

→ Sam ______________________.

09 너의 선생님이 네 부모님을 만나고 계시니? (meet / your parents)

→ ________ your teacher ______________________?

10 제인과 스미스는 지금 캐나다에 살고 있지 않다. (live / in Canada)

→ Jane and Smith ______________________ now.

11 그들은 시장으로 뛰어가고 있니? (run / to the market)

→ ________ they ______________________?

12 그는 상자들을 옮기고 있지 않다. (move / the boxes)

→ He ______________________.

WORDS

movie 영화 **clean** 청소하다 **plant** 심다 **sofa** 소파 **spaghetti** 스파게티 **English** 영어 **meet** 만나다 **parents** 부모 **live** 살다 **now** 지금 **market** 시장 **move** 옮기다 **box** 상자

Chapter 07 과거진행형

1 과거진행형의 의미와 쓰임

과거진행형이란 과거의 한 시점에 뭔가를 하고 있었던 것을 강조할 때 사용하며 '~하고 있었다', '~하는 중이었다' 등으로 해석합니다. 과거진행형은 [be동사 과거형(was/were)+동사원형+-ing]의 형태입니다.

I / He / She / It / 단수명사	was	+	동사원형 + -ing ~.
We / You / They / 복수명사	were		

I **was watching** TV. 나는 TV 보는 중이었다.

They **were sleeping.** 그들은 자는 중이었다.

2 과거진행형의 부정문

과거진행형 부정문은 '~하고 있지 않았다', '~하는 중이 아니었다' 등의 의미로 [be동사 과거형(was/were)+not+동사원형+-ing]의 형태입니다.

I / He / She / It / 단수명사	was not = wasn't	+	동사원형 + -ing ~.
We / You / They / 복수명사	were not = weren't		

He **was not[wasn't] driving** the car. 그는 자동차를 운전하고 있지 않았다.

They **were not[weren't] sleeping.** 그들은 잠을 자고 있지 않았다.

3 과거진행형 의문문

과거진행형 의문문은 '~하고 있었니?', '~하는 중이었니?' 등의 의미로 be동사 과거형(was/were)이 주어 앞으로 옵니다.

Was	I / he / she / it / 단수명사	+	동사원형 + -ing ~?
Were	we / you / they / 복수명사		

A: **Was** he **reading** a book? 그는 책을 읽고 있는 중이었니?

B: Yes, he was. / No, he wasn't.

A: **Were** you **riding** a bicycle? 너는 자전거를 타고 있었니?

B: Yes, I was. / No, I wasn't.

Practice 1

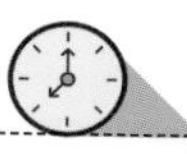

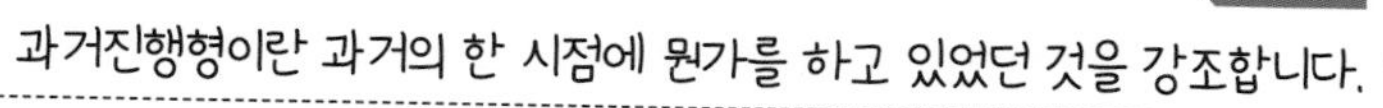
Guide
과거진행형이란 과거의 한 시점에 뭔가를 하고 있었던 것을 강조합니다.

1 다음 문장을 과거진행형으로 바꿔 쓰세요.

01 I looked at the door. 나는 그 문을 쳐다봤다.
→ I was looking at the door.

02 He did his homework. 그는 숙제를 했다.
→ ______

03 They walked to the park. 그들은 공원에 걸어갔다.
→ ______

04 I didn't watch TV. 나는 TV를 보지 않았다.
→ ______

05 Sam and I played basketball. 샘과 나는 농구를 했다.
→ ______

06 Mike didn't draw the picture. 마이크는 그림을 그리지 않았다.
→ ______

07 My sister didn't eat the apple. 내 누나는 그 사과를 먹지 않았다.
→ ______

08 He drank milk. 그는 우유를 마셨다.
→ ______

09 I walked my puppy. 나는 내 강아지를 산책시켰다.
→ ______

10 Your classmates cleaned the classroom. 네 반 친구들은 교실을 청소했다.
→ ______

11 They built the bridge. 그들은 그 다리를 만들었다.
→ ______

12 We didn't dance. 우리는 춤을 추지 않았다.
→ ______

WORDS

look at ~을 쳐다보다 **homework** 숙제 **park** 공원 **basketball** 농구 **draw** 그리다 **picture** 그림 **walk** 산책시키다 **puppy** 강아지 **classroom** 교실 **build** 만들다, 짓다 **bridge** 다리 **dance** 춤추다

Guide

과거진행형은 [be동사 과거형(was/were)+동사원형+ing]의 형태입니다.

1 다음 우리말과 일치하도록 보기의 단어를 이용하여 과거진행형 문장을 완성하세요.

go	ask	buy	bark	fly
play	tell	sit	cut	wait

01 She ___was___ ___going___ to the party.
그녀는 그 파티에 가고 있었다.

02 My sister ______ ______ some vegetables.
나의 여동생은 야채를 좀 사고 있었다.

03 Kevin ______ ______ the tree.
케빈은 그 나무를 자르고 있지 않았다.

04 A lot of birds ______ ______ in the sky.
많은 새들이 하늘을 날고 있었다.

05 My friends ______ ______ baseball.
나의 친구들은 야구를 하고 있지 않았다.

06 The dog ______ ______ at me.
그 개가 나를 향해 짖고 있었다.

07 We ______ ______ for our parents.
우리는 부모님을 기다리고 있는 중이었다.

08 You ______ ______ me a lie.
너는 나에게 거짓말을 하고 있었다.

09 ______ they ______ on the bench?
그들은 벤치에 앉아 있었니?

10 ______ your sister ______ a question?
네 여동생은 질문을 하고 있었니?

WORDS
ask 묻다 **bark** 짖다 **cut** 자르다 **party** 파티 **vegetable** 야채 **tree** 나무 **a lot of** 많은 **bird** 새 **sky** 하늘 **baseball** 야구 **lie** 거짓말 **bench** 벤치 **question** 질문

과거진행형에 not을 붙이면 부정문, be동사를 앞으로 보내면 의문문이 됩니다.

1 다음 문장을 지시대로 바꿔 쓰세요.

01 They were playing tennis. 그들은 테니스를 치고 있었다.
부정문 They were not[weren't] playing tennis.

02 I was listening to the radio. 나는 라디오를 듣고 있었다.
부정문 ______________________

03 It was eating my cookies. 그것은 내 쿠키를 먹고 있었다.
의문문 ______________________

04 The boy was washing the car. 그 소년은 세차를 하고 있었다.
부정문 ______________________

05 They were making a kite. 그들은 연을 만들고 있었다.
의문문 ______________________

06 Your friends were staying at the hotel. 네 친구들은 호텔에 머물고 있었다.
의문문 ______________________

07 You were talking with Mike. 너는 마이크와 얘기하고 있었다.
의문문 ______________________

08 Jane was watching a movie. 제인은 영화를 보고 있었다.
의문문 ______________________

09 She was drawing a zebra. 그녀는 얼룩말을 그리고 있었다.
의문문 ______________________

10 He was reading the newspaper. 그는 신문을 읽고 있었다.
부정문 ______________________

11 The boy was running slowly. 그 소년은 천천히 달리고 있었다.
부정문 ______________________

12 Mike was using my computer. 마이크는 내 컴퓨터를 사용하고 있었다.
의문문 ______________________

WORDS

tennis 테니스 **radio** 라디오 **wash the car** 세차하다 **kite** 연 **hotel** 호텔 **talk** 말하다 **movie** 영화 **zebra** 얼룩말 **newspaper** 신문 **slowly** 천천히 **use** 사용하다

it의 다양한 쓰임

it의 쓰임과 의미

it은 '그것'이라는 의미로 명사를 대신해 쓰는 '대명사'입니다. 그리고 it은 날씨, 날짜, 요일, 시각, 달, 계절, 거리, 명암 등을 나타내는 문장에서 주어로 사용될 수 있는데, 이때 it은 '그것'으로 해석하지 않습니다. 이때 사용하는 it을 '비인칭 주어'라고 부릅니다.

대명사 **it**	**It** is my computer. 그것은 나의 컴퓨터다. **It** is my book. 그것은 나의 책이다.
비인칭 주어 **it**	**It** is sunny. 날씨가 맑다. **It** is Sunday. 일요일이다. (it은 아무런 의미가 없으며, '그것은'이라고 해석하지 않습니다.)

시각 / 날짜 / 계절 / 날씨의 it

시각	**It** is 10 o'clock. 10시이다.
날짜	**It** is October 10th. 10월 10일이다.
계절	**It** is summer. 여름이다.
날씨	**It** is rainy. 비가 온다.

요일 / 명암/ 거리의 it

요일	**It** is Tuesday today. 오늘은 화요일이다.
명암	**It** is dark outside. 밖은 어둡다.
거리	**It** is 10 kilometers to Busan. 부산까지는 10km이다.

Tips

- be동사의 과거형 was를 사용해서 과거의 시간이나 날짜 등을 표현할 수 있습니다.
  It was Monday. 월요일이었다. It was summer. 여름이었다.
- 다음의 질문에는 비인칭 주어 It을 사용하여 대답합니다.

시각	What time is it (now)? (지금) 몇 시니? It is 8 o'clock. 8시야.
날짜	What is the date today? / What date is it today? 오늘 며칠이니? It is June 1st. 6월 1일이야.
날씨	How is the weather? 날씨가 어떠니? It is cloudy. 흐려.

Guide

it이 날씨, 날짜, 요일, 시각, 달, 계절, 거리, 명암 등을 나타내면 비인칭 주어입니다.

1 **다음 중 It이 비인칭 주어이면 ○표 아니면 X표 하세요.**

01 It is his bicycle. → X

02 It is cloudy today. → ______

03 It is a nice car. → ______

04 It was Saturday. → ______

05 It was rainy yesterday. → ______

06 It is November 20th. → ______

07 It is 10:30. → ______

08 It is hot today. → ______

09 It is not my bag. → ______

10 It is in the box. → ______

11 It is 2 kilometers to my school. → ______

12 It is spring. → ______

13 It was a good party. → ______

14 It is 5 o'clock now. → ______

15 It is my mom's computer. → ______

WORDS

bicycle 자전거 **cloudy** 흐린 **nice** 멋진 **Saturday** 토요일 **rainy** 비가 오는 **yesterday** 어제 **November** 11월 **hot** 더운 **box** 상자 **spring** 봄 **party** 파티 **now** 지금

it이 대명사면 '그것'으로 해석하고, 비인칭 주어면 해석하지 않습니다.

1 다음 영어를 우리말로 쓰세요.

01 It is her book.

→ 그것은 그녀의 책이다.

02 It is Monday today.

→ ______

03 It was rainy yesterday.

→ ______

04 It is not my dog.

→ ______

05 It is not far from here.

→ ______

06 It is spring now.

→ ______

07 It is dark outside.

→ ______

08 It is a yellow pencil.

→ ______

09 It is March 20th today.

→ ______

10 It was winter.

→ ______

11 It is 7:30 now.

→ ______

12 It is June 2nd today.

→ ______

WORDS

Monday 월요일 **rainy** 비 오는 **yesterday** 어제 **far** 먼 **from** ~에서 **here** 여기 **spring** 봄 **dark** 어두운 **outside** 밖 **March** 3월 **June** 6월 **today** 오늘

시각, 날짜, 날씨 질문에는 비인칭 주어 It을 사용하여 대답합니다.

1 다음 보기에서 알맞은 질문을 골라 대화를 완성하세요.

- What time is it now?
- What is the date today?
- What day is it today?
- How is the weather?

01 A: What time is it now?
B: It is 7 o'clock.

02 A: ____________________
B: It is sunny.

03 A: ____________________
B: It is Thursday.

04 A: ____________________
B: It is August 3rd.

2 다음 우리말과 일치하도록 주어진 단어와 비인칭 주어를 이용하여 영어로 쓰세요.

01 10시 5분이다. (ten / five)
→ It is ten five.

02 어제는 비가 왔다. (rainy)
→ ____________________ yesterday.

03 오늘은 4월 10일이다. (April / 10th)
→ ____________________ today.

04 월요일 아침이다. (morning / Monday)
→ ____________________

05 어제는 춥고 눈이 왔다. (cold / snowy)
→ ____________________ yesterday.

06 밖은 덥다. (hot)
→ ____________________ outside.

WORDS
now 지금 **date** 날짜 **today** 오늘 **weather** 날씨 **rainy** 비 오는 **morning** 아침 **outside** 밖

Review Test 2

Chapter 05-08

공부한 날 :　　　　부모님 확인 :

01> 다음 중 동사의 진행형으로 바르지 않은 것을 고르세요.

① eat - eating
② do - doing
③ make - making
④ die - dieing
⑤ hit - hitting

【02~04】 다음 그림을 보고 보기에서 단어를 골라 현재진행형 문장으로 완성하세요.

drive	fly	swim

02>

She is ____________ in the pool.

03>

Michelle is ____________ a kite.

04>

My dad is ____________ now.

【05~06】 다음 중 문장이 어색한 것을 고르세요.

05> ① I am singing.
② The man is sitting on the sofa.
③ He is sleeping on the bed.
④ They are walking slowly now.
⑤ She is making cookies yesterday.

06> ① The girl is riding a bicycle.
② My friend is studying English.
③ Sam is reading a book.
④ The baby is playing with her mother.
⑤ My friend, Sumi are running in the park.

【07~09】 다음 중 우리말을 영어로 바르게 쓴 것을 고르세요.

07> 그녀는 파란 치마를 입고 있다.

① She wear a blue skirt.
② She wore a blue skirt.
③ She is wear a blue skirt.
④ She wearing a blue skirt.
⑤ She is wearing a blue skirt.

08> 아기는 지금 자고 있지 않다.

① The baby sleeping not now.
② The baby is sleeping now.
③ The baby is sleeping not now.
④ The baby is not sleeping now.
⑤ The baby doesn't sleeping now.

09>
우리는 버스를 기다리고 있는 중이었다.

① We waiting for a bus.
② We are waiting for a bus.
③ We were waiting for a bus.
④ We weren't waiting for a bus.
⑤ We aren't waiting for a bus.

10> 다음 중 질문에 알맞은 대답을 고르세요.

Sara, what are you doing?

① Mom is baking potatoes.
② My sister is making a card.
③ I'm cleaning the room.
④ There is some bread in the oven.
⑤ She is eating cookies.

11> 다음 중 문장의 빈칸에 공통으로 알맞은 것을 고르세요.

• ________ was summer.
• ________ was 7 in the morning.

① It ② He
③ They ④ She
⑤ I

【12~13】 다음 중 It의 쓰임이 다른 하나를 고르세요.

12> ① It rains a lot in summer.
② It was winter.
③ It is not my backpack.
④ It was cold yesterday.
⑤ It is windy.

13> ① It's your book.
② It's sunny.
③ It's May 5th.
④ It's about 10 kilometers.
⑤ It's dark outside.

14> 다음 대화의 빈칸에 순서대로 들어갈 단어가 바르게 짝지어진 것을 고르세요.

A: Mike, what ________ you watching?
B: I ________ watching the soccer game.

① am - are ② are - am
③ be - am ④ is - are
⑤ am - am

【15~16】 다음 중 우리말을 영어로 바르게 쓴 것을 고르세요.

15>
저녁 7시다.

① It is seven o'clock in the morning.
② It is seven o'clock in the evening.
③ It was seven o'clock in the evening.
④ It does seven o'clock in the evening.
⑤ It is seven o'clock in the morning.

16› 그들은 야구를 하고 있지 않았다.

① They don't play baseball.
② They didn't playing baseball.
③ They aren't playing baseball.
④ They doesn't playing baseball.
⑤ They weren't playing baseball.

【17~19】 다음 중 질문에 알맞은 대답을 고르세요.

17› How is the weather today?

① It snows a lot in winter.
② It's April 10th.
③ It takes 20 minutes to go to school.
④ It's not his computer.
⑤ It's very cold.

18› What is the date today?

① It's dark inside.
② It's April 10th.
③ It's Saturday.
④ It was yesterday.
⑤ It's raining now.

19› What was he doing last night?

① He didn't dinner with me.
② He eats dinner with me.
③ He is eating dinner with me.
④ He was eating dinner with me.
⑤ He didn't eat dinner with me.

【20~21】 다음 그림을 보고 빈칸에 알맞은 것을 고르세요.

20› Jim is __________ a shower.

① calling ② selling
③ drawing ④ taking
⑤ jumping

21›

Jack is __________ the baseball with a bat.

① hitting ② cutting
③ taking ④ calling
⑤ catching

22› 다음 중 질문에 알맞은 대답을 고르세요.

Are you eating dinner?

① Yes, you are. ② Yes, I do.
③ No, I'm not. ④ No, we are not.
⑤ Yes, they are.

23› 다음 빈칸에 공통을 들어갈 말을 쓰세요.

• __________ is raining outside.
• __________ is Tuesday today.

→ ______________________

【24~26】 다음 그림을 보고 주어진 단어를 바르게 배열하세요. (필요하면 단어를 변형하세요.)

24›

방 안은 더웠다.
(was / hot / in the room / it)

→ ______________________________

25›

폴은 지금 영어 공부를 하고 있지 않다.
(is / Paul / not / study / English / now)

→ ______________________________

26›

나의 아빠가 컴퓨터를 사용하고 계시다.
(my / use / a computer / is / dad)

→ ______________________________

【27~28】 다음 영어를 우리말로 쓰세요.

27›

It was rainy yesterday.

→ ______________________________

28›

It is June 20th today.

→ ______________________________

【29~30】 다음 문장을 지시대로 바꿔 쓰세요.

29›

They looked at the clock.

(과거진행형)

→ ______________________________

30›

He runs to the park.

(현재진행형)

→ ______________________________

방향 전치사

방향 전치사 의미와 쓰임

방향 전치사는 사람이나 사물의 움직임을 보다 구체적으로 표현하기 위해 사용하는 전치사입니다.
전치사는 혼자서는 아무런 의미가 없으며 명사 앞에 와야 합니다.

to / from

to + 도착지	~으로, ~에	**to** school 학교로 **to** the park 공원으로
from + 출발지	~에서, ~으로부터 ~ 출신의(~에서 나온)	**from** the airport 공항에서(부터) **from** Korea 한국에서 온

They walked **to** the park. 그들은 공원으로 걸어갔다.

She came back **from** school. 그녀는 학교에서 돌아왔다.

I am **from** Korea. 나는 한국 출신이다.

> **Tips** from과 to는 [from A to B] 형태로 함께 쓸 수 있으며, 'A부터 B까지'의 의미를 나타냅니다.
> from 다음에는 출발 장소뿐만 아니라 시각이 올 수도 있습니다.
> We work from nine to five. 우리는 9시부터 5시까지 일한다.
> We walked from the station to the hotel. 우리는 역에서부터 호텔까지 걸었다.

into / out of / along

into	~ 안으로	**into** the water 물속으로
out of	~ 밖으로(내부에서 밖으로의 움직임)	**out of** the building 건물 밖으로
along	~을 따라	**along** the street 길을 따라

They walked **into** the building. 그들은 건물 안으로 들어갔다.

She came **out of** the aquarium. 그녀는 수족관 밖으로 나왔다.

I walked **along** the street. 나는 길을 따라 걸었다.

> **Tips**
> - into는 어떤 장소에서 다른 장소 안으로의 동작을 나타내고, in은 정지하고 있는 사물의 위치를 주로 나타냅니다.
> - from이 동작 동사와 함께 올 경우 '장소의 출발점'을 나타내고, out of는 '내부에서 밖으로'의 움직임을 나타냅니다.

up / down

up	~ 위로	**up** the ladder 사다리 위로
down	~ 아래로	**down** the stairs 계단 아래로

Sam is climbing **up** the mountain. 샘은 산을 오르고 있다.

He is coming **down** the stairs. 그는 계단을 내려가고 있다.

Practice 1

Guide 방향 전치사는 움직임을 보다 구체적으로 표현합니다.

1 다음 그림을 보고 알맞은 것을 고르세요.

01 

He ran (to / along) the park this morning.
그는 오늘 아침 공원으로 뛰어갔다.

02 

He went (up / into) the mountain.
그는 산 위로 올라갔다.

03 

The man went (down / up) the ladder.
그 남자는 사다리 아래로 내려갔다.

04 

They are going (into / in) the bakery.
그들은 빵집 안으로 들어가고 있다.

05 

The swimmer is coming (into / out of) the water.
수영하는 사람이 물 밖으로 나오고 있다.

06 

The store opens (from / to) 9 a.m. (from / to) 10 p.m.
그 가게는 9시부터 10시까지 연다.

07 

She walked (along / into) the shore.
그녀는 해안을 따라 걸었다.

08 

He came back (from / to) his trip last week.
그는 지난주에 여행에서 돌아왔다.

WORDS

park 공원 **this morning** 오늘 아침 **mountain** 산 **ladder** 사다리 **bakery** 빵집 **store** 상점 **open** 열다 **walk** 걷다 **shore** 해안 **come back** 돌아오다 **trip** 여행 **last week** 지난주

Guide
전치사는 혼자서는 아무런 의미가 없으며 명사 앞에 와야 합니다.

1 다음 우리말과 일치하도록 보기의 전치사를 이용하여 빈칸에 알맞은 말을 쓰세요.

from	to	up	down	into	out of	along

01 나의 부모님은 매일 아침 강을 따라 조깅한다.
→ My parents jog ___along___ the river every morning.

02 마이크는 엄마를 만나기 위해 언덕을 달려 내려갔다.
→ Mike ran __________ the hill to meet his mom.

03 그는 하루에 열 번이나 계단을 오르내렸다.
→ He went __________ and down the stairs ten times a day.

04 그의 가족은 지난해 뉴욕으로 이사 갔다.
→ His family moved __________ New York last year.

05 그 학생들은 피자가게 안으로 들어갔다.
→ The students walked __________ a pizza shop.

06 그는 은행에서 오전 9시부터 오후 5시까지 일한다.
→ He works at a bank __________ 9 a.m. to 5 p.m.

07 그들은 어제 해변을 따라 달렸다.
→ They ran __________ the shore yesterday.

08 그는 일어나서 그 방에서 걸어나갔다.
→ He got up and walked __________ the room.

09 우리는 서울에서부터 부산까지 여행할 것이다.
→ We will travel __________ Seoul to Busan.

10 우리 집에서부터 멀지 않다.
→ It is not far __________ my house.

WORDS
parents 부모 **river** 강 **hill** 언덕 **meet** 만나다 **stairs** 계단 **family** 가족 **bank** 은행 **shore** 해안 **yesterday** 어제 **get up** 일어나다 **travel** 여행하다 **far** 먼 **house** 집

방향 전치사에는 from, to, into, out of, along, up, down 등이 있습니다.

1 다음 우리말과 일치하도록 문장을 완성하세요.

01 그들은 곧 학교에서 돌아올 것이다.
→ They will come back ___from___ school soon.

02 그들은 물속으로 뛰어들었다.
→ They jumped __________ the water.

03 나는 내일 동물원에 갈 것이다.
→ I'm going __________ the zoo tomorrow.

04 나의 엄마는 매우 조심스럽게 사다리를 내려왔다
→ My mom went __________ the ladder very carefully.

05 그 소년이 나무 위로 올라가고 있다.
→ The boy is climbing __________ the tree.

06 우리는 런던에서 파리까지 여행할 것이다.
→ We are going on a trip __________ London __________ Paris.

07 톰은 약간의 돈을 그의 주머니에서 꺼냈다.
→ Tom took some money __________ his pocket.

08 그녀는 음료수를 사려고 자판기에 동전을 집어넣었다.
→ She put coins __________ the vending machine for drinks.

09 우리는 길을 따라 걸었다.
→ We walked __________ the street.

10 그는 매일 학교에 걸어간다.
→ He walks __________ school every day.

11 캐시는 어제 캐나다에서 도착했다.
→ Cathy arrived __________ Canada yesterday.

12 그는 언덕 위로 뛰어갔다.
→ He ran __________ the hill.

WORDS

soon 곧 jump 점프하다 zoo 동물원 tomorrow 내일 carefully 조심스럽게 climb 오르다 pocket 주머니 coin 동전 vending machine 자판기 drink 음료 street 거리 arrive 도착하다 hill 언덕

Chapter 10 빈도부사

1 빈도부사의 의미와 쓰임

부사는 문장 내에서 형용사, 동사, 부사 등을 꾸며주어 내용을 좀 더 풍부하게 하는 역할을 합니다. 빈도부사는 말 그대로 '빈도'를 나타내는 말로 어떤 행동을 얼마나 자주 하는지를 나타내주는 역할을 합니다.

2 빈도부사의 종류

always	항상, 언제나	She **always** drinks coffee in the morning. 그녀는 항상 아침에 커피를 마신다.
usually	대개, 보통	She **usually** drinks coffee in the morning. 그녀는 보통 아침에 커피를 마신다.
often	자주, 종종	She **often** drinks coffee in the morning. 그녀는 자주 아침에 커피를 마신다.
sometimes	가끔, 때때로	She **sometimes** drinks coffee in the morning. 그녀는 가끔 아침에 커피를 마신다.
seldom	좀처럼 ~않는	She **seldom** drinks coffee in the morning. 그녀는 좀처럼 아침에 커피를 마시지 않는다.
never	절대 ~않는	She **never** drinks coffee in the morning. 그녀는 절대 아침에 커피를 마시지 않는다.

Tips 100% → 0%

always	usually	often	sometimes	seldom	never
항상, 언제나	대개, 보통	자주, 종종	가끔, 때때로	좀처럼 ~않는	한 번도 (절대로) ~않는

3 빈도부사의 위치

일반동사 앞 (주어+빈도부사+일반동사)	We **often** watch movies. 우리는 종종 영화를 본다. He **never** gets up early. 그는 절대 일찍 일어나지 않는다.
be동사 뒤 (주어+be동사+빈도부사)	She is **sometimes** late. 그녀는 가끔 지각한다. They are **always** busy. 그들은 항상 바쁘다.
조동사 뒤 (주어+조동사+빈도부사+동사원형)	I will **always** miss you. 나는 항상 너를 그리워할 것이다. I will **never** meet him again. 나는 그를 절대 다시 만나지 않을 것이다.

Tips

- sometimes는 문장 맨 앞에 올 수도 있습니다.
  Sometimes, he goes to school by bus. 그는 가끔 버스 타고 학교에 간다.
- never는 부정어와 함께 사용하지 않습니다.
  Sam doesn't never eat eggs. (x) → Sam never eats eggs. 샘은 절대 달걀을 먹지 않는다.

빈도부사는 어떤 행동을 얼마나 자주 하는지를 나타냅니다.

1 다음 우리말과 일치하도록 괄호 안에서 알맞은 것을 고르세요.

01 They are (always / usually) kind to me.
그들은 항상 나에게 친절하다.

02 She (never / seldom) gets up early.
그녀는 절대 일찍 일어나지 않는다.

03 Eric (usually takes / takes usually) a shower in the morning.
에릭은 보통 아침에 샤워를 한다.

04 They (never are / are never) late for class.
그들은 결코 수업에 늦지 않는다.

05 We (often / sometimes) play computer games after school.
우리는 자주 방과 후에 컴퓨터 게임을 한다.

06 We (will never / never will) forget your help.
우리는 절대 너의 도움을 잊지 않을 것이다.

07 Sara (usually / seldom) wears a skirt.
사라는 좀처럼 치마를 입지 않는다.

08 They (always eat / eat always) dinner at 7 o'clock.
그들은 항상 7시에 저녁식사를 한다.

09 I (usually / sometimes) eat noodles for lunch.
나는 보통 점심식사로 국수를 먹는다.

10 She (will sometimes / sometimes will) use your computer.
그녀는 가끔 너의 컴퓨터를 사용할 것이다.

11 James and Tina (seldom / usually) go shopping on Sunday.
제임스와 티나는 보통 일요일에 쇼핑하러 간다.

12 I (often / usually) have a cup of milk in the morning.
나는 자주 아침에 우유를 한 잔 마신다.

WORDS

kind 친절한 **early** 일찍 **take a shower** 샤워하다 **class** 수업 **after school** 방과 후에 **forget** 잊다 **help** 도움 **skirt** 치마 **noodle** 국수 **use** 사용하다 **in the morning** 아침에

빈도부사는 100%인 always에서 0%인 never까지 다양합니다.

1 다음 우리말과 일치하도록 빈칸에 알맞은 빈도부사를 쓰세요.

01 They ___always___ take the bus to school.
그들은 언제나 버스 타고 학교에 간다.

02 She __________ takes a walk in the morning.
그녀는 보통 아침에 산책을 한다.

03 My mom __________ has coffee at night.
나의 엄마는 절대 밤에 커피를 마시지 않으신다.

04 We will __________ remember you.
우리는 항상 너를 기억할 것이다.

05 I __________ go to bed at 11.
나는 보통 11시에 잔다.

06 David __________ does his homework.
데이비드는 좀처럼 숙제를 하지 않는다.

07 Sara __________ makes dinner.
사라는 가끔 저녁식사를 만든다.

08 They __________ go to the zoo.
그들은 자주 동물원에 간다.

09 I __________ eat noodles for lunch.
나는 절대 점심식사로 국수를 먹지 않는다.

10 Do you __________ get up early?
너는 보통 일찍 일어나니?

11 James __________ goes shopping on Sunday.
제임스는 좀처럼 일요일에 쇼핑하러 가지 않는다.

12 She __________ practices the piano after school.
그녀는 자주 방과 후에 피아노 연습을 한다.

WORDS
take a bus 버스 타다 **take a walk** 산책하다 **remember** 기억하다 **go to bed** 자러 가다
homework 숙제 **zoo** 동물원 **noodle** 국수 **lunch** 점심식사 **get up** 일어나다 **practice** 연습하다

Guide

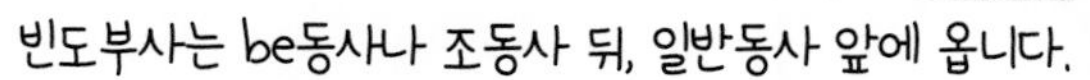

1 다음 우리말과 일치하도록 보기의 빈도부사와 주어진 단어를 이용하여 문장을 완성하세요.

always	never	often	seldom	sometimes	usually

01 그 문은 항상 열려 있다. (open / is)
→ The door ______ is always open ______.

02 나는 절대로 학교에 늦지 않는다. (am / late / for school)
→ I ____________________.

03 그는 항상 나를 도와줄 것이다. (will / me / help)
→ He ____________________.

04 나의 아빠는 절대로 커피를 마시지 않는다. (coffee / drinks)
→ My dad ____________________.

05 내 친구들은 방과 후에 보통 축구를 한다. (after school / soccer / play)
→ My friends ____________________.

06 그녀는 자주 밤에 책을 읽는다. (books / at night / reads)
→ She ____________________.

07 나의 엄마는 좀처럼 라디오를 듣지 않으신다. (to the radio / listens)
→ My mom ____________________.

08 그들은 때때로 나의 이름을 잊어버린다. (my name / forget)
→ They ____________________.

09 그는 보통 그의 방을 청소한다. (cleans / room / his)
→ He ____________________.

10 그들은 여름에 항상 바쁘다. (are / in summer / busy)
→ They ____________________.

WORDS

open 열려 있는 **door** 문 **late** 늦은 **help** 돕다 **coffee** 커피 **soccer** 축구 **at night** 밤에 **radio** 라디오 **listen** 듣다 **name** 이름 **forget** 잊다 **clean** 청소하다 **summer** 여름 **busy** 바쁜

Chapter 11 접속사 I

1 접속사의 의미와 쓰임

접속사란 말 그대로 무언가를 연결시켜 주는 단어로 영어 문장에서 단어와 단어, 문장과 문장을 연결하는 역할을 합니다.

2 접속사의 종류

and ~와(과), 그리고 (대등한 내용을 연결)	I like apples **and** strawberries. 나는 사과와 딸기를 좋아한다. (단어와 단어 연결) He read a book, **and** she drew a picture. 그는 책을 읽었고 그녀는 그림을 그렸다. (문장과 문장 연결)
but 그러나, 하지만 (but 다음에는 앞의 문장과 반대되거나 부정적인 내용이 온다.)	He is short **but** strong. 그는 키가 작지만 강하다. (단어와 단어 연결) I like Sam, **but** he doesn't like me. 나는 샘을 좋아하지만 그는 나를 좋아하지 않는다. (문장과 문장 연결)
or ~ 아니면, 또는 (둘 중 하나를 선택할 때)	Would you like tea **or** coffee? 차를 드시겠어요, 아니면 커피를 드시겠어요?
so 그래서 (앞 문장의 결과로 일어난 일을 이어줄 때)	I missed the school bus, **so** I was late for school. 나는 학교버스를 놓쳤다. 그래서 학교에 늦었다. (앞 문장의 결과)
because 왜냐하면 (앞 문장의 이유를 이어줄 때)	I was late for school **because** I missed the school bus. 나는 학교에 늦었다. 왜냐하면 나는 학교버스를 놓쳤기 때문이다. (앞 문장의 원인)

3 명령문과 접속사 and / or

명령문 다음에 접속사 and나 or로 연결된 문장을 사용할 수 있는데, and와 or의 의미가 다르기 때문에 반드시 주의해서 사용해야 합니다. 명령문 뒤에 사용된 and와 or는 각각 '그러면'과 '그렇지 않으면'으로 해석합니다.

명령문 + **and** + 주어 + 동사 (~해라 / ~하지 마라 + 그러면 ~할 것이다)	긍정의 결과	Get up now, **and** you will catch the bus. 지금 일어나라. 그러면 버스를 탈 수 있을 것이다.
명령문 + **or** + 주어 + 동사 (~해라 / ~하지 마라 + 그렇지 않으면 ~할 것이다)	부정의 결과	Get up now, **or** you will be late for school. 지금 일어나라. 그렇지 않으면 학교에 지각할 것이다.

Tips

- will은 동사를 도와준다는 의미로 조동사라고 부르며, will 다음에 반드시 동사원형이 와야 합니다.
- will은 미래에 할 일 또는 미래에 일어날 일을 예측하는 역할을 하며 '~할 것이다', '~일 것이다'라는 의미를 가지고 있습니다.
  You will love her forever. 너는 그녀를 영원히 사랑할 것이다.

접속사란 단어와 단어, 문장과 문장을 연결하는 역할을 합니다.

1 다음 우리말과 일치하도록 괄호 안에서 알맞은 것을 고르세요.

01 I like tropical fruit (and / or) vegetables.
나는 열대 과일과 야채를 좋아한다.

02 I feel sad (because / so) my mom is sick.
나는 슬프다, 왜냐하면 엄마가 아프시기 때문이다.

03 I can play the piano, (and / but) I can't play the violin.
나는 피아노를 연주할 수 있지만 바이올린은 연주하지 못한다.

04 Do you want shoes (and / or) socks?
너는 신발을 원하니 아니면 양말을 원하니?

05 David (and / or) Jack are my classmates.
데이비드와 잭은 나와 같은 반 친구들이다.

06 Mr. Wilson is tall (and / or) strong.
윌슨 씨는 키가 크고 강하다.

07 I passed the test, (but / so) I was happy.
나는 시험에 통과했다, 그래서 기뻤다.

08 Take a rest, (and / or) you will be tired.
휴식을 취하라, 그렇지 않으면 피곤할 것이다.

09 Drink milk every day, (and / or) you will be healthy.
매일 우유를 마셔라, 그러면 건강해질 것이다.

10 Is your sister tall (and / or) short?
너의 여동생은 키가 크니 아니면 작니?

11 I went to the dentist (because / so) I had a toothache.
나는 치과에 갔다, 왜냐하면 치통이 있기 때문이다.

12 It was cold yesterday, (because / so) I stayed at home.
어제는 추웠다, 그래서 나는 집에 있었다.

WORDS

tropical 열대의 **vegetable** 야채 **feel** 느끼다 **sick** 아픈 **violin** 바이올린 **classmate** 반 친구 **pass** 통과하다 **rest** 휴식 **tired** 피곤한 **healthy** 건강한 **dentist** 치과, 치과의사 **toothache** 치통

접속사에는 and, but, or, so, because 등이 있습니다.

1 다음 보기의 접속사를 이용하여 빈칸에 알맞은 말을 쓰세요.

and　　but　　or　　so　　because

01 Hurry up, ___or___ you will be late.
서둘러라, 그렇지 않으면 지각할 것이다.

02 My mom was so happy __________ she got a new job.
나의 엄마는 매우 기뻤다, 왜냐하면 그녀는 새로운 직업을 얻었기 때문이다.

03 He lives in Korea, __________ he can't speak Korean.
그는 한국에 살지만 한국어를 할 수 없다.

04 Study hard, __________ you will pass the exam.
열심히 공부해라, 그러면 시험에 합격할 것이다.

05 She is kind __________ lazy.
그녀는 친절하지만 게으르다.

06 Take a rest, __________ you will get sick.
휴식을 취해라, 그렇지 않으면 너는 병이 날 것이다.

07 It was very hot, __________ I turned on the fan.
날씨가 너무 더웠다, 그래서 나는 선풍기를 틀었다.

08 Sam will go to the market __________ he needs some vegetables.
샘은 시장에 갈 것이다, 왜냐하면 그는 야채가 좀 필요하기 때문이다.

09 Clean your room, __________ your mom will be upset.
네 방을 청소해라, 그렇지 않으면 너의 엄마가 화를 낼 것이다.

10 She is young __________ smart.
그녀는 어리지만 영리하다.

11 He is busy, __________ he can't help me.
그는 바쁘다, 그래서 나를 도와줄 수 없다.

12 I ate bacon __________ eggs for breakfast.
나는 아침식사로 베이컨과 달걀을 먹었다.

WORDS

hurry up 서두르다 **job** 직업 **live** 살다 **exam** 시험 **lazy** 게으른 **sick** 아픈 **turn on** ~을 켜다 **fan** 선풍기 **market** 시장 **clean** 청소하다 **upset** 화난 **smart** 영리한 **breakfast** 아침식사

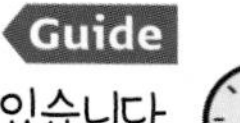

명령문 다음에 접속사 and나 or로 연결된 문장을 사용할 수 있습니다.

1 다음 우리말과 일치하도록 빈칸에 알맞은 접속사를 쓰세요.

01 I like pizza ___and___ spaghetti.
나는 피자와 스파게티를 좋아한다.

02 I was hungry, __________ I ate the cake.
나는 배가 고팠다. 그래서 그 케이크를 먹었다.

03 I ate the cake __________ I was hungry.
나는 그 케이크를 먹었다. 왜냐하면 나는 배가 고팠기 때문이다.

04 My dad is very tall __________ handsome.
나의 아빠는 매우 키가 크고 잘생기셨다.

05 Do you want to go shopping __________ go swimming?
너는 쇼핑하기를 원하니 아니면 수영하기를 원하니?

06 It rained outside, __________ I closed the window.
밖에 비가 내렸다. 그래서 나는 창문을 닫았다.

07 He knows my name, __________ I don't know his name.
그는 나의 이름을 알지만 나는 그의 이름을 모른다.

08 She can play the piano __________ the guitar.
그녀는 피아노와 기타를 연주할 수 있다.

09 Water the flowers, __________ they will die.
꽃에 물을 줘라. 그렇지 않으면 그들이 죽을 것이다.

10 I was late for school __________ I got up late.
나는 학교에 지각했다. 왜냐하면 늦게 일어났기 때문이다.

11 Hurry up, __________ you will miss the train.
서둘러라. 그렇지 않으면 기차를 놓칠 것이다.

12 Take a walk every day, __________ you will be healthy.
매일 산책을 해라. 그러면 건강해질 것이다.

WORDS

spaghetti 스파게티 **hungry** 배고픈 **handsome** 잘생긴 **outside** 밖 **window** 창문 **know** 알다 **guitar** 기타 **flower** 꽃 **die** 죽다 **miss** 놓치다 **take a walk** 산책하다 **healthy** 건강한

Chapter 12 How + 형용사/부사

[How+형용사/부사]의 의미

[How+형용사/부사 ~?]는 '얼마나 ~한/하게'란 의미를 가지고 있으며 상대방에게 구체적인 정보를 얻기 위해 사용합니다.

수나 양의 정보를 물을 때

How many + 복수명사 ~? (셀 수 있는 것의 수를 알고자 할 때)	A: **How many** books do you have? 너는 책이 얼마나 있니? B: I have five books. 나는 책이 다섯 권 있어. A: **How many** caps does he have? 그는 모자가 얼마나 있니? B: He has three caps. 그는 모자가 세 개 있어.
How much + 셀 수 없는 명사 ~? (셀 수 없는 것의 양을 알고자 할 때)	A: **How much** sugar do you have? 너는 설탕이 얼마나 있니? B: I have 2kg of sugar. 나는 설탕이 2kg 있어. A: **How much** cheese does she have? 그녀는 치즈가 얼마나 있니? B: She has three slices of cheese. 그녀는 치즈가 세 장 있어.

Tips 가격을 물을 때에도 How much를 이용합니다.
How much is this? 이것은 얼마니?

나이 / 키 / 길이 / 빈도를 물을 때

How long ~? (사물의 길이나 어떤 기간을 물을 때)	A: **How long** is the river? 그 강은 얼마나 기니? B: It's 50 kilometers long. 그것은 길이가 50km야. A: **How long** did you stay in Seoul? 너는 서울에 얼마 동안 머물렀니? B: I stayed for five days. 나는 5일 동안 머물렀어.
How old ~? (사람의 나이나 사물의 오래된 정도를 물을 때)	A: **How old** is your son? 너의 아들은 몇 살이니? B: He is five years old. 그는 5살이야. A: **How old** is the building? 그 건물은 얼마나 오래되었니? B: It's about ten years old. 그것은 대략 10년 되었어.
How tall ~? (사람 키나 사물의 높이를 물을 때)	A: **How tall** are you? 너는 키가 얼마나 크니? B: I am 170cm (tall). 나는 170cm야. A: **How tall** is the tower? 그 탑은 얼마나 높니? B: It's 20m (tall). 그것은 20m 높이야.
How often ~? (어떤 행위의 빈도를 물을 때)	A: **How often** do you practice the piano? 너는 얼마나 자주 피아노 연습을 하니? B: I practice the piano once a week. 나는 일주일에 한 번 피아노를 연습해.

Tips How often ~?으로 물으면 once(한 번), twice(두 번), three times(세 번), four times(네 번), three times a week(일주일에 세 번), twice a month(한 달에 두 번) 등을 이용하여 답할 수 있습니다.

[How+형용사/부사 ~ ?]는 '얼마나 ~한/하게'이란 의미를 가지고 있습니다.

1 다음 우리말과 일치하도록 빈칸에 알맞은 것을 고르세요.

01 How (long / old) is the bat?
그 방망이의 길이가 얼마니?

02 How (old / much) is your grandmother?
네 할머니는 연세가 어떻게 되시니?

03 How (many / much) is that computer?
저 컴퓨터는 얼마니?

04 How (tall / long) is your sister?
네 여동생은 얼마나 크니?

05 How (much / often) water do you have?
너는 물이 얼마나 있니?

06 How (often / long) did you stay in London?
너는 런던에 얼마나 머물렀니?

07 How (long / often) does Mike take a walk?
마이크는 얼마나 자주 산책을 하니?

08 How (old / much) is your school?
너의 학교는 얼마나 오래되었니?

09 How (many / much) is this piano?
이 피아노는 얼마니?

10 How (old / many) apples do you have?
너는 사과가 얼마나 있니?

11 How much (salt / salts) do you want?
너는 소금을 얼마나 원하니?

12 How (tall / long) is the yellow ribbon?
그 노란색 리본은 얼마나 기니?

WORDS

bat 방망이 **grandmother** 할머니 **often** 자주 **stay** 머물다 **take a walk** 산책하다 **piano** 피아노 **salt** 소금 **want** 원하다 **yellow** 노란 **ribbon** 리본

[How+형용사/부사 ~ ?]는 상대방에게 구체적인 정보를 얻기 위해 사용합니다.

1 다음 대화의 빈칸에 알맞은 말을 쓰세요.

01 A: How ___old___ is your father?
B: He's 40 years old.

02 A: How __________ are these shoes?
B: They are 30 dollars.

03 A: How __________ pencils does he have?
B: He has five pencils.

04 A: How __________ is the bridge?
B: It's 50 meters long.

05 A: How __________ do you go to the beach?
B: Once a month.

06 A: How __________ did you stay at the hotel?
B: We stayed there for three days.

07 A: How __________ is he?
B: He's 150cm.

08 A: How __________ is the tree?
B: It's about 100 years old.

09 A: How __________ do you go to the gym?
B: I go there three times a week.

10 A: How __________ cheese do you want?
B: I want five slices of cheese.

11 A: How __________ salt do you want?
B: I want two kilograms of salt.

12 A: How __________ is the tower?
B: It's 60 meters tall.

WORDS
shoe 신발 **pencil** 연필 **bridge** 다리 **beach** 해변 **month** 달, 월 **hotel** 호텔 **about** 약, 대략 **gym** 체육관 **three times** 세 번 **week** 일주일 **cheese** 치즈 **slice** 조각 **salt** 소금 **tower** 타워

수나 양, 나이, 키, 길이, 빈도를 물을 때 [How+형용사/부사 ~ ?]를 사용합니다.

1 다음 How를 이용하여 대답에 알맞은 질문을 완성하세요.

01 A: ______How old is______ your brother?
B: He's 10 years old.

02 A: ____________________ there in the classroom?
B: There are 20 chairs in the classroom.

03 A: ____________________ you walk your puppy?
B: I walk my puppy once a day.

04 A: ____________________ the museum?
B: It's 50 years old.

05 A: ____________________ you practice the piano?
B: I practice the piano for two hours.

06 A: ____________________ you need? (money)
B: I need five dollars.

07 A: ____________________ the river?
B: It's 150 kilometers long.

08 A: ____________________ the tree?
B: It's two meters tall.

09 A: ____________________ your grandfather?
B: He's 80 years old.

10 A: ____________________ you want?
B: I want eight potatoes.

11 A: ____________________ you want?
B: I want two kilograms of salt.

12 A: ____________________ he go fishing?
B: He goes fishing once a month.

WORDS
classroom 교실 **puppy** 강아지 **once** 한 번 **museum** 박물관 **practice** 연습하다 **hour** 시간 **need** 필요하다 **river** 강 **grandfather** 할아버지 **potato** 감자 **salt** 소금 **go fishing** 낚시하러 가다

Review Test 3

Chapter 09-12

공부한 날 :　　　　부모님 확인 :

【01~03】 다음 중 우리말과 일치하도록 빈칸에 알맞은 것을 고르세요.

01>

I went ________ the stairs.
나는 계단을 내려갔다.

① in　② along　③ into
④ out of　⑤ down

02>

Dolphins jumped ________ the water. 돌고래가 물 밖으로 뛰어나왔다.

① up　② along　③ into
④ out of　⑤ from

03>

She put the letter ________ the pocket. 그녀는 편지를 주머니 안으로 넣었다.

① up　② along　③ into
④ out of　⑤ from

04> 다음 중 우리말을 영어로 바르게 쓴 것을 고르세요.

그는 보통 아침에 샤워를 한다.

① He usually takes a shower in the morning.
② He always takes a shower in the morning.
③ He never takes a shower in the morning.
④ He often takes a shower in the morning.
⑤ He seldom takes a shower in the morning.

05> 다음 중 빈도부사의 위치가 올바르지 않은 것을 고르세요.

① I usually play baseball on Sunday.
② I sometimes go to the movies.
③ Susie always gets up at 7 o'clock.
④ He is never late for school.
⑤ I always will miss you.

【06~07】 다음 중 보기의 글을 읽고 물음에 답하세요.

- Sally often uses a dictionary.
- Amy always uses a dictionary.
- Mike never uses a dictionary.
- Jim sometimes uses a dictionary.
- Susan uses a dictionary twice a month.

06> 다음 중 사전을 가장 많이 사용하는 사람을 고르세요.

① Sally　② Amy
③ Mike　④ Jim
⑤ Susan

07> 다음 중 사전을 전혀 사용하지 않는 사람을 고르세요.

① Sally　② Amy
③ Mike　④ Jim
⑤ Susan

08> 다음 중 빈도부사의 위치가 올바른 것을 고르세요.

① I play usually soccer with my classmates.
② You always are late for school.
③ Mina plays sometimes the piano.
④ I get always up at seven.
⑤ He often plays soccer with his friends.

【09~10】 다음 그림을 보고 빈칸에 알맞은 전치사를 고르세요.

09>

They walked (along / into) the beach.

10>

He is climbing (up / to) the ladder.

【11~13】 다음 중 빈칸에 알맞은 것을 고르세요.

11>

I like Sam, ________ he doesn't like me.

① and ② but
③ because ④ or
⑤ so

12>

I was late for school ________ I got up late.

① and ② but
③ because ④ or
⑤ so

13>

I have a test tomorrow, ________ I have to study hard.

① and ② but
③ because ④ or
⑤ so

14> 다음 중 밑줄 친 and의 쓰임이 다른 것을 고르세요.

① I like apples, bananas, and pears.
② Take the taxi, and you'll catch the first train.
③ Wait here, and you'll meet the king.
④ Just try hard, and you'll do well next time.
⑤ Wake up now, and you won't be late for school.

【15~16】 다음 중 보기의 빈칸에 공통으로 알맞은 것을 고르세요.

15>

- They didn't go outside ________ it rained.
- I want to be a pianist ________ I like to play the piano.

① and ② or
③ because ④ so
⑤ but

16>
- Would you like tea ________ coffee?
- Hurry up, ________ you will be late.

① and ② or
③ because ④ so
⑤ but

17> 다음 중 보기의 질문에 알맞은 대답을 고르세요.

How often does your father wash the dishes?

① Once a week.
② He's very tall.
③ Thank you.
④ By bus.
⑤ For about one hour.

【18~19】 다음 중 대화의 빈칸에 알맞은 것을 고르세요.

18>
A: How ________ is the bridge?
B: It's 50 meters long.

① much ② long
③ tall ④ often
⑤ old

19>
A: How ________ is your brother?
B: He's 160cm tall.

① much ② long
③ tall ④ often
⑤ old

20> 다음 중 보기의 답변에 알맞은 질문을 고르세요.

I practice the guitar for 2 hours.

① How much is the guitar?
② How long is the guitar?
③ How many guitars do you have?
④ How often do you practice the guitar?
⑤ How long do you practice the guitar?

21> 다음 중 대화가 자연스럽지 않은 것을 고르세요.

① A: How often do you get a haircut?
B: Once a month.
② A: How long do you play computer games on Sunday?
B: For two hours.
③ A: What's your favorite subject?
B: I like music.
④ A: How much is this watermelon?
B: Ten dollars.
⑤ A: How many students are there in your class?
B: They are very tall.

【22~23】 다음 대화의 빈칸에 알맞은 말을 쓰세요.

22>

A: ________ ________ do you jog?
B: I jog three times a week.

23›

A: ________ ________ is your sister?

B: She is 150cm tall.

【24~25】 다음 빈칸에 알맞은 접속사를 쓰세요.

24›

It was very hot, ________ I turned on the air conditioner.

25›

Get up now, ________ you will be late for school.

26› 다음 우리말과 일치하도록 빈칸에 알맞은 말을 쓰세요.

She ________ drinks coffee in the morning. 그녀는 절대 아침에 커피를 마시지 않는다.

→ ________________

27› 다음 우리말과 일치하도록 주어진 단어를 이용하여 문장을 완성하세요.

우리는 가끔 방과 후 야구를 한다.
(after school / baseball / play)

→ We ________________

________________.

28› 다음 틀린 부분을 바르게 고쳐 쓰세요.

(1) Mike washes seldom the dishes.

→ ________________

(2) Jessie never is late for class.

→ ________________

29› 다음 영어를 우리말로 쓰세요.

In Singapore, it sometimes rains but it never snows. *Singapore 싱가포르

→ ________________

____

30› 다음 빈칸에 각각 들어갈 접속사를 쓰세요.

The baby is hungry.
The baby is crying.

(1) The baby is crying ________ he is hungry.

(2) The baby is hungry, ________ he is crying.

Chapter 13 조동사 will

will의 의미

조동사란 동사를 보조한다는 의미로 be동사나 일반동사 앞에서 의미를 좀 더 구체적으로 표현하는 역할을 합니다. will은 조동사로 '~할 것이다', '~일 것이다'의 의미를 가지고 있으며, 미래에 할 일이나 미래에 일어날 일을 예측할 때 사용합니다.

will의 쓰임

미래의 의지 (~할 것이다)	I **will** do my homework. 나는 숙제를 할 것이다. I **will** play baseball. 나는 야구를 할 것이다.
미래의 예측 (~일 것이다)	It **will** rain tomorrow. 내일 비가 올 것이다. You **will** be a great musician. 너는 위대한 음악가가 될 것이다.

Tips will은 말하는 당시에 즉각적으로 계획한 것을 표현할 때 사용하고, 이미 확정된 미래의 계획을 나타낼 때는 be going to를 써서 [주어+am/is/are+going to+동사원형 ~ .] 형태로 사용합니다.
I will visit my uncle this Sunday. 나는 이번 주 일요일 삼촌을 방문할 것이다. (즉각적인 결정)
I am going to visit my uncle this Sunday. 나는 이번 주 일요일 삼촌을 방문할 예정이다. (이미 예정된 계획)

will의 부정문

will의 부정은 [will not+동사원형] 또는 [won't+동사원형]으로 표현하며 '~하지 않을 것이다'로 해석합니다.

미래의 의지 (~하지 않을 것이다)	I **will not[won't]** play baseball. 나는 야구를 하지 않을 것이다.
미래의 예측 (~하지 않을 것이다)	It **will not[won't]** rain tomorrow. 내일 비가 오지 않을 것이다.

will의 의문문

의문문을 만들 때는 will을 문장 앞으로 보내고 문장 끝에 물음표를 붙입니다.

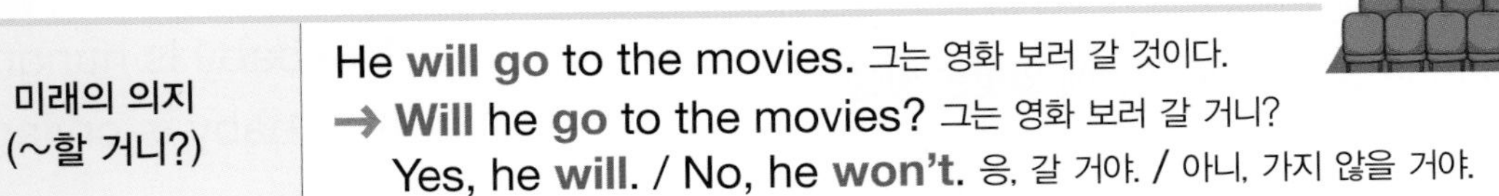

미래의 의지 (~할 거니?)	He **will go** to the movies. 그는 영화 보러 갈 것이다. → **Will** he **go** to the movies? 그는 영화 보러 갈 거니? Yes, he **will**. / No, he **won't**. 응, 갈 거야. / 아니, 가지 않을 거야.

Tips
- 상대방[you]에게 부탁할 때도 will을 사용하여 '~해 주겠니?'라는 의미로 사용합니다. Would를 사용하면 더 공손한 표현이 됩니다.
  Will you pass me the salt? 내게 소금 건네줄래?
  Would you pass me the salt? 제게 소금 건네주시겠습니까?
- 조동사(will / can / could / must 등)는 주어의 인칭과 상관없이 항상 형태가 동일합니다.
  He wills go to the park. (x) He will go to the park. 그는 공원에 갈 것이다.

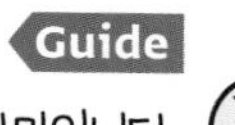

will은 조동사로 '~할 것이다', '~일 것이다'의 의미입니다.

1 다음 우리말과 일치하도록 빈칸에 알맞은 말을 쓰세요. (will과 won't를 사용하세요.)

01 우리는 중국어를 배울 것이다. (learn)

→ We ___will___ ___learn___ Chinese.

02 그는 너를 역에서 기다릴 것이다. (wait for)

→ He ________ ________ ________ you at the station.

03 그녀는 그 문제를 해결하지 않을 것이다. (solve)

→ She ________ ________ the problem.

04 그들은 내일 공원에 갈 것이다. (go)

→ They ________ ________ to the park tomorrow.

05 그는 그 나무에 올라갈 거니? (climb)

→ ________ he ________ the tree?

06 나를 위해 그것을 읽을 줄래? (read)

→ ________ you ________ it for me?

07 그는 바다에서 수영할 것이다. (swim)

→ He ________ ________ in the sea.

08 나는 방을 청소할 것이다. (clean)

→ I ________ ________ my room.

09 그는 이곳에 3일간 머물 것이다. (stay)

→ He ________ ________ here for three days.

10 그녀는 곧 돌아오지 않을 것이다. (come back)

→ She ________ ________ ________ soon.

11 나와 함께 독서모임 가입할래? (join)

→ ________ you ________ the reading club with me?

12 내일은 눈이 올 것이다. (snow)

→ It ________ ________ tomorrow.

WORDS

Chinese 중국어 **station** 역 **solve** 해결하다 **problem** 문제 **park** 공원 **climb** 오르다 **sea** 바다 **clean** 청소하다 **room** 방 **here** 여기 **come back** 돌아오다 **soon** 곧 **club** 모임 **tomorrow** 내일

will은 미래에 할 일이나 미래에 일어날 일을 예측할 때 사용합니다.

1 다음 문장을 지시에 맞게 will이나 won't를 사용해서 바꾸세요.

01 I help them.
긍정문 I will help them tomorrow.

02 She watches the movie.
긍정문 ______________________

03 She studies English at night.
긍정문 ______________________

04 She doesn't play the piano.
부정문 ______________________

05 They come back soon.
긍정문 ______________________

06 My mom makes cookies for me.
긍정문 ______________________

07 Mike doesn't visit the museum.
부정문 ______________________

08 You clean your room.
의문문 ______________________

09 Close the window.
의문문 ______________________

10 She will go hiking tomorrow.
의문문 ______________________

11 Stop playing computer games.
의문문 ______________________

12 My dad takes care of my cat.
부정문 ______________________

WORDS
help 돕다 **movie** 영화 **at night** 밤에 **come back** 돌아오다 **soon** 곧 **visit** 방문하다 **museum** 박물관 **window** 창문 **tomorrow** 내일 **take care of** ~을 돌보다

will의 부정문은 뒤에 not을 붙이고, 의문문은 will을 앞으로 보냅니다.

1 다음 우리말과 일치하도록 주어진 단어를 이용하여 문장을 완성하세요.

01 우리는 너를 위해 노래를 부를 것이다. (sing)
→ We will sing __________ for you.

02 나는 시장에서 사과를 좀 살 것이다. (buy / some apples)
→ __________ at the market.

03 나는 설거지를 할 것이다. (wash / the dishes)
→ I __________.

04 너는 위대한 과학자가 될 것이다. (be / great scientist / a)
→ You __________.

05 그녀는 너의 휴대전화를 사용하지 않을 것이다. (use / your cellphone)
→ She __________.

06 그는 이번 주 토요일에 쇼핑을 가지 않을 것이다. (go / shopping)
→ __________ this Saturday.

07 그는 이번 주 일요일에 그의 삼촌을 방문할 거니? (visit / his uncle)
→ __________ this Sunday?

08 너 방과 후에 하이킹 갈 거니? (go / hiking)
→ __________ after school?

09 그 영어 시험은 쉬울 것이다. (easy / be)
→ The English exam __________.

10 내일은 맑지 않을 것이다. (sunny / be)
→ __________ tomorrow.

11 불 좀 켜줄래? (turn on / the light)
→ __________

12 창문 좀 닫아 주시겠습니까? (close / the window)
→ __________

WORDS

buy 사다 **market** 시장 **wash the dishes** 설거지하다 **scientist** 과학자 **cellphone** 휴대전화 **uncle** 삼촌 **easy** 쉬운 **exam** 시험 **sunny** 맑은 **turn on** 켜다 **light** 불 **close** 닫다

Chapter 14 must와 have to

1 must와 have to의 의미

must와 have to는 둘 다 '~ 해야 한다'라는 강한 의무를 나타내는 조동사로 다음에 반드시 동사원형이 와야 합니다.

2 must와 have to의 쓰임

must+동사원형 = **have[has] to**+동사원형 (~해야 한다)	You **must** wash your hands. 너는 손을 씻어야 한다. = You **have to** wash your hands. He **must** do his homework. 그는 숙제를 해야 한다. = He **has to** do his homework.

Tips

- 보통 must는 말하는 사람의 주관적 감정이 많이 들어 있는 반면 have to는 외부 요인에 의해 의무가 발생하는 경우에 쓰이며, must가 의무감의 강도가 더 큽니다. 일반 대화에서는 must보다는 have to를 더 많이 사용합니다.
- must와 have to의 과거형은 had to입니다.
  I had to clean my room yesterday. 나는 어제 내 방을 청소해야 했다.

3 must와 have to의 부정문

must의 부정문은 must not을, have to의 부정문은 don't have to를 사용하지만 의미가 완전히 다릅니다.

must not+동사원형 (~하면 안 된다 – 강한 금지)	You **must not** swim here. 너는 이곳에서 수영하면 안 된다. He **must not** drive at night. 그는 밤에 운전하면 안 된다.
don't[doesn't] have to +동사원형(~할 필요가 없다)	You **don't have to** go to school today. 너는 오늘 학교 갈 필요가 없다. He **doesn't have to** drive at night. 그는 밤에 운전할 필요가 없다.

Tips don't/doesn't have to는 need not으로 표현할 수 있습니다.
You don't have to worry about it. 너는 그것에 대해 걱정할 필요 없다.
= You need not worry about it.

4 have to의 의문문

have to의 의문문은 '~해야 하니?'의 의미를 가지고 있으며 Have가 아닌 Do[Does]를 문장 앞에 써야 합니다.

Do[Does]+주어 +**have to**+동사원형 ~? (~해야 하니?)	**Do I have to wear** a school uniform? 나는 교복을 입어야 하니? **Does she have to stay** home tonight? 그녀는 오늘 밤에 집에 있어야 하니?

must와 have to는 둘 다 '~ 해야 한다'라는 의무를 나타내는 조동사입니다.

1 다음 우리말과 일치하도록 괄호 안에서 알맞은 것을 고르세요.

01 Minsu (has to / have to) study English tonight.
민수는 오늘 밤 영어공부를 해야 한다.

02 The floor is dirty. You (must / must not) clean it.
마루가 더럽다. 너는 마루를 청소해야 한다.

03 You have a toothache. You (must / must not) see a dentist.
너는 치통이 있다. 너는 치과에 가야 한다.

04 He (must not / doesn't have to) be late for class.
그는 수업에 늦지 말아야 한다.

05 Do I (have to / must) go to bed right now?
나는 지금 당장 잠을 자러 가야 하니?

06 You (must not / don't have to) park here.
너는 이곳에 주차를 하면 안 된다.

07 You (must / has to) go home now.
너는 지금 집에 가야 한다.

08 They (must / had to) study hard for the exam.
그들은 시험을 위해 열심히 공부해야 한다.

09 You (must not / don't have to) turn off the computer.
너는 컴퓨터를 끌 필요는 없다.

10 You (must not / don't have to) talk to the driver.
너는 운전사에게 말을 걸지 말아야 한다.

11 He (doesn't have to / don't have to) attend the meeting.
그는 회의에 참석할 필요가 없다.

12 Do we have to (bring / brings) pencils to the test?
우리는 시험장에 연필을 가져가야 하니?

WORDS

tonight 오늘 밤 **floor** 바닥 **dirty** 더러운 **toothache** 치통 **dentist** 치과의사 **right now** 지금 당장 **park** 주차하다 **hard** 열심히 **exam** 시험 **turn off** 끄다 **driver** 운전사 **attend** 참석하다 **meeting** 회의

부정문에서 must는 must not을, have to는 don't have to를 사용합니다.

1 다음 보기의 단어를 이용하여 빈칸에 알맞은 말을 쓰세요.

have[has] to must must not don't have to

01 You ___have to[must]___ wash your hands before meals.

02 You ______________ park here.

03 You ______________ smoke in the car.

04 It's Sunday. You ______________ go to school today.

05 You have a headache. You ______________ see a doctor.

06 You ______________ swim in the river.

07 You ______________ use your cellphone here.

08 You ______________ wear your seat belt.

09 It's already 8 o'clock. He ______________ wake up now.

10 The elevator is out of order. You ______________ use the elevator.

WORDS

meal 식사 **park** 주차하다 **smoke** 흡연하다 **headache** 두통 **see a doctor** 병원에 가다 **river** 강 **cellphone** 휴대전화 **seat belt** 안전벨트 **already** 벌써 **elevator** 엘리베이터 **out of order** 고장 난

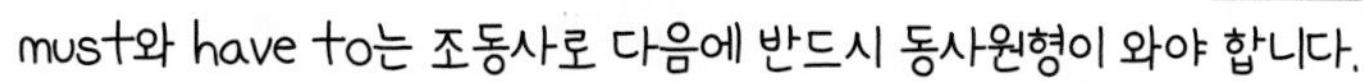

1 다음 우리말과 일치하도록 주어진 단어를 이용하여 문장을 완성하세요.

01 너는 네 방을 청소할 필요가 없다. (clean)
→ You ___don't have to clean___ your room.

02 우리는 도서관에서 조용해야 한다. (be quiet)
→ We ______________________ in the library.

03 너는 내일 일찍 일어나야 한다. (get up)
→ You ______________________ early tomorrow.

04 너는 저녁식사 전에 돌아와야 한다. (come back)
→ You ______________________ before dinner.

05 너는 아침식사를 거르면 안 된다. (skip)
→ You ______________________ breakfast.

06 그는 내일 일할 필요가 없다. (work)
→ He ______________________ tomorrow.

07 우리는 지난주 회의에 참석해야 했다. (the meeting / attend)
→ We ______________________ last week.

08 너는 지하철을 탈 필요는 없다. (take)
→ You ______________________ the subway.

09 그들은 유니폼을 입어야 한다. (wear)
→ They ______________________ uniforms.

10 내가 그 책을 읽어야 하니? (read)
→ Do I ______________________ the book?

11 너는 거짓말을 하지 말아야 한다. (lie)
→ You ______________________.

12 샘은 지금 은행에 가야 한다. (go to the bank)
→ Sam ______________________ now.

WORDS
clean 청소하다 **quiet** 조용한 **library** 도서관 **tomorrow** 내일 **skip** 거르다 **meeting** 회의 **attend** 참석하다 **subway** 지하철 **uniform** 유니폼 **lie** 거짓말하다 **bank** 은행 **now** 지금

Chapter 15 조동사 can

1 조동사 can의 의미

can은 조동사로 [can+동사원형]의 형태로 쓰이며, '~할 수 있다', '~할 줄 안다'라는 뜻을 가지고 있어 어떤 것이 가능하거나 무엇을 할 능력이 있을 때 사용합니다.

2 조동사 can의 쓰임

가능 (~할 수 있다)	I **can help** you now. 나는 지금 너를 도와줄 수 있다. He **can attend** the meeting. 그는 회의에 참석할 수 있다.
능력 (~할 수 있다, ~할 줄 안다)	I **can speak** English well. 나는 영어를 잘 할 수 있다. He **can ride** a bike. 그는 자전거를 탈 줄 안다.

3 조동사 can의 부정문

can의 부정은 [cannot+동사원형] 또는 [can't+동사원형]으로 표현하며 '~할 수 없다', '~할 줄 모른다'로 해석합니다.

가능 (~할 수 없다)	I **cannot[can't] help** you now. 나는 지금 너를 도와줄 수 없다. She **cannot[can't] go** to the beach. 그녀는 해변에 갈 수가 없다.
능력 (~할 수 없다, ~할 줄 모른다)	I **cannot[can't] make** cookies. 나는 과자를 만들 수 없다. They **cannot run** fast. 그들은 빨리 달릴 수 없다.

Tips

- 능력을 나타내는 can은 be able to로, cannot[can't]은 be not able to로 바꿔 쓸 수 있습니다.
  He can ride a bicycle. = He is able to ride a bicycle. 그는 자전거를 탈 수 있다.
  He can't ride a bicycle. = He is not[isn't] able to ride a bicycle. 그는 자전거를 탈 수 없다.
- can을 사용하는 문장이 '가능'인지 '능력'을 표현하는 것인지 정확히 구별하는 것은 어려운 일이며, 구별할 수 없을 때도 있습니다. 그러나 can을 사용한 모든 문장을 be able to로 대체할 수 없기 때문에 can의 쓰임을 때때로 구별할 필요는 있습니다. 허락을 의미하는 can은 be able to로 바꿔 쓸 수 없습니다.
  Can I go home? 집에 가도 되나요? Am I able to go home? (X)

4 Can의 의문문

의문문을 만들 때는 Can을 문장 앞으로 보내고 문장 끝에 물음표를 붙입니다.

가능 / 능력 (~할 수 있니?)	**Can** you play baseball with me? 너는 나하고 야구를 할 수 있니? **Can** you speak Korean? 너는 한국어를 할 수 있니?
허락 (~해도 되나요?)	A: **Can** I go home now? 나는 지금 집에 가도 되나요? B: Yes, you can. / No, you can't.
요청 (~ 좀 해주겠니?)	A: **Can** you help me with the dishes? 설거지 하는 것 좀 도와주겠니? B: Sure. [No, problem. / Okay.] / I am sorry, but I can't.

Tips Could를 사용하면 더 공손한 표현이 됩니다.
Could you turn on the TV? TV를 켜주시겠습니까?

Guide

can은 조동사로 '~할 수 있다', '~할 줄 안다'라는 의미입니다.

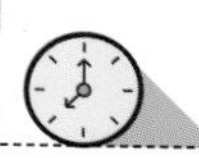

1 다음 우리말과 일치하도록 빈칸에 알맞은 것을 쓰세요.

01 우리는 중국어로 말할 수 있다. (speak)

→ We ___can___ ___speak___ Chinese.

02 그는 피아노를 칠 수 없다. (play)

→ He ______ ______ the piano.

03 그는 그 나무에 올라갈 수 있다. (climb)

→ He is ______ ______ ______ the tree.

04 나는 방과 후 너를 만날 수 없다. (meet)

→ I ______ ______ you after school.

05 그는 그 컴퓨터를 고칠 수 없다. (fix)

→ He ______ ______ ______ to ______ the computer.

06 그 교통 표지판을 이해할 수 있니? (understand)

→ ______ you ______ the traffic sign?

07 그는 바다에서 수영할 수 있다. (swim)

→ He ______ ______ in the sea.

08 너는 저쪽에서 택시를 탈 수 있다. (find)

→ You ______ ______ a taxi over there.

09 나는 너의 질문에 대답할 수 없다. (answer)

→ I ______ ______ your question.

10 제가 여기에서 자전거를 타도 되나요? (ride)

→ ______ ______ ______ a bicycle here?

11 제가 당신에게 질문 하나 해도 될까요? (ask)

→ ______ ______ ______ you a question?

12 창문 좀 열어 주시겠습니까? (open)

→ ______ ______ please ______ the window?

WORDS

speak 말하다 **Chinese** 중국어 **climb** 오르다 **meet** 만나다 **fix** 고치다 **computer** 컴퓨터 **understand** 이해하다 **traffic sign** 교통 표지판 **sea** 바다 **answer** 대답하다 **question** 질문 **ask** 묻다

can의 부정은 [cannot/can't+동사원형] 형태로 씁니다.

1 다음 문장을 괄호 안의 단어를 이용하여 지시대로 바꾸세요.

01 I help them. (can)

긍정문 ___I can help them___ tomorrow.

02 She goes to the movies. (can)

부정문 ________________________________

03 She speaks English. (be able to)

긍정문 ________________________________

04 She plays the piano. (can)

의문문 ________________________________

05 They come back before dinner. (can)

부정문 ________________________________

06 My mom makes cookies. (be able to)

부정문 ________________________________

07 My friends swim fast. (be able to)

긍정문 ________________________________

08 You lend me some money. (could)

의문문 ________________________________

09 You close the window. (can)

의문문 ________________________________

10 She goes hiking with me. (can)

의문문 ________________________________

11 You take pictures in the museum. (can)

부정문 ________________________________

12 My dad rides a horse. (be able to)

부정문 ________________________________

WORDS

help 돕다 go to the movies 영화 보러 가다 English 영어 come back 돌아오다 before ~전에 cookie 쿠키 lend 빌려주다 window 창문 take pictures 사진을 찍다 ride 타다 horse 말

의문문을 만들 때는 Can을 문장 앞으로 보내고 문장 끝에 물음표를 붙입니다.

1 다음 우리말과 일치하도록 주어진 단어와 can/can't를 이용하여 문장을 완성하세요.

01 문 좀 열어 주겠니? (open / the door)
→ Can you open the door?

02 우리는 시장에서 신선한 야채를 살 수 있다. (buy / fresh vegetables)
→ ______________________ at the market.

03 설거지를 해 주시겠습니까? (wash / the dishes)
→ ______________________, please?

04 너는 위대한 과학자가 될 수 있다. (be / scientist / great / a)
→ You ______________________.

05 그녀는 너의 파티에 올 수 없다. (come / to / your party)
→ She ______________________.

06 우리는 시험에서 사전을 사용할 수 있다. (use / our dictionaries)
→ ______________________ during the exam.

07 그는 빨리 걸을 수 있니? (walk / fast)
→ __________ he ______________________?

08 그들은 테니스를 칠 수 있다. (play / tennis)
→ They ______________________.

09 나의 삼촌은 버스를 운전할 수 있다. (drive / a bus)
→ My uncle ______________________.

10 당신의 컴퓨터를 사용해도 되나요? (your computer / use)
→ __________ I ______________________?

11 오늘 밤 나와 함께 쇼핑하러 갈 수 있니? (go shopping / me / with)
→ __________ you ______________________ tonight?

12 너는 지금 집에 가도 된다. (go / home)
→ ______________________ now.

WORDS

open 열다 **fresh** 신선한 **market** 시장 **scientist** 과학자 **great** 위대한 **party** 파티 **dictionary** 사전 **fast** 빠르게 **tennis** 테니스 **drive** 운전하다 **uncle** 삼촌 **use** 사용하다 **tonight** 오늘 밤

Chapter 16 감탄문

1 감탄문의 의미

감탄문이란 사물이나 사람을 보고 기쁨, 놀람, 슬픔 등의 감정을 표현하는 문장으로 '정말 ~하구나!'로 해석합니다. 감탄문은 What으로 시작하는 감탄문과 How로 시작하는 감탄문 두 종류가 있으며, 문장의 끝에 느낌표(!)를 붙입니다.

2 What으로 시작하는 감탄문 만들기

What은 명사를 감탄할 때 사용하며,
[What+a(n)+형용사+명사+(주어+동사)!]의 형태가 됩니다.

(1) very를 제거합니다. ※ very, really, so 등 강조하는 말을 제거합니다.	He is a very kind man. 그는 매우 친절한 사람이다. → He is a ~~very~~ kind man.
(2) 주어와 동사를 제거하거나 강조하는 명사 뒤로 옮깁니다.	→ (~~He is~~) a kind man (he is). ※ 이때 주어, 동사는 생략할 수 있습니다. (특히, 주어가 대명사인 경우)
(3) What+a[an]을 문장 앞에 쓰고 문장 끝에 느낌표(!)를 붙입니다.	→ **What a kind man he is!**

She has a very beautiful voice. 그녀는 매우 아름다운 목소리를 가지고 있다.
→ **What a** beautiful **voice** she has! 그녀는 정말 아름다운 목소리를 가졌구나! - 명사(voice) 감탄

Tips What으로 시작하는 감탄문에서, 모음 발음으로 시작하는 형용사 앞에는 an을 씁니다. 강조하는 명사가 복수형일 때에는 a(an)을 사용하지 않습니다.
What an interesting book (this is)! (이것은) 정말 흥미로운 책이구나!
What beautiful flowers they are! 그것들은 정말 아름다운 꽃들이구나!

3 How로 시작하는 감탄문 만들기

How는 형용사나 부사를 감탄할 때 사용하며, [How+형용사/부사+(주어+동사)!]의 형태가 됩니다. How로 시작하는 감탄문은 감탄하는 부분에 명사가 포함되어 있지 않습니다.

(1) very를 제거합니다. ※ very, really, so 등 강조하는 말을 제거합니다.	He is very tall. 그는 매우 키가 크다. → He is ~~very~~ tall.
(2) 주어와 동사를 제거하거나 강조하는 형용사/부사 뒤로 옮깁니다.	→ (~~He is~~) tall (he is). ※ 이때 주어, 동사는 생략할 수 있습니다. (특히, 주어가 대명사인 경우)
(3) How를 문장 앞에 쓰고 문장 끝에 느낌표(!)를 붙입니다.	→ **How tall he is!**

He swims very fast. 그는 수영을 매우 빠르게 한다.
→ **How fast** he swims! 그는 정말 수영을 빠르게 하는구나! - 부사(fast) 감탄

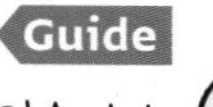

감탄문은 What으로 시작하는 감탄문과 How로 시작하는 감탄문이 있습니다.

1 다음 빈칸에 What 또는 How를 넣어서 감탄문을 완성해 보세요.

01 What a wonderful world!
정말 멋진 세상이구나!

02 ________ beautiful the flower is!
그 꽃은 정말 아름답구나!

03 ________ a smart boy he is!
그는 정말 똑똑한 소년이구나!

04 ________ sweet it is!
그것은 정말 달콤하구나!

05 ________ nice that car is!
저 자동차는 정말 멋지구나!

06 ________ a delicious cake this is!
이것은 정말 맛있는 케이크구나!

07 ________ tall trees they are!
그것들은 정말 큰 나무들이구나!

08 ________ beautifully she sings!
그녀는 정말 아름답게 노래하는구나!

09 ________ fast he runs!
그는 정말 빨리 달리는구나!

10 ________ a lovely voice she has!
그녀는 정말 아름다운 목소리를 가지고 있구나!

11 ________ heavy they are!
그것들은 정말 무겁구나!

12 ________ cheap the watch is!
그 시계가 정말 싸구나!

wonderful 멋진 **world** 세상 **beautiful** 아름다운 **smart** 영리한 **sweet** 달콤한 **nice** 멋진 **delicious** 맛있는 **run** 달리다 **lovely** 사랑스러운 **voice** 목소리 **heavy** 무거운 **cheap** 싼

What 감탄문은 [What+a(n)+형용사+명사+(주어+동사)!]의 어순이 됩니다.

1 다음 우리말과 일치하도록 주어진 단어를 바르게 배열하여 감탄문을 만들어 보세요.

01 그것은 정말 멋진 여행이구나! (what / a / trip / wonderful)

→ What a wonderful trip it is!

02 그녀는 정말 친절한 소녀구나! (girl / kind / a / what)

→ ______________________ she is!

03 그는 정말 강한 남자구나! (man / a / strong / what)

→ ______________________ he is!

04 정말 멋진 자동차구나! (nice / a / what / car)

→ ______________________

05 그것은 정말 간단한 대답이구나! (simple / is / what / it / answer / a)

→ ______________________

06 그것들은 정말 빠르게 자라는구나! (grow up / how / they / quickly)

→ ______________________

07 그것들은 정말 흥미로운 책들이구나! (they / interesting / are / what / books)

→ ______________________

08 그것은 정말 값싼 시계구나! (a / watch / is / what / cheap / it)

→ ______________________

09 이 컴퓨터는 정말 유용하구나! (useful / is / how / computer / this)

→ ______________________

10 그 꽃들은 정말 아름답구나! (beautiful / flowers / are / how / the)

→ ______________________

11 그는 정말 좋은 친구구나! (a / good / what / he / friend / is)

→ ______________________

12 그는 정말 큰 손을 가졌구나! (big / what / hands / has / he)

→ ______________________

WORDS

trip 여행 **kind** 친절한 **strong** 강한 **nice** 멋진 **simple** 간단한 **answer** 대답 **grow up** 자라다 **quickly** 빠르게 **interesting** 흥미로운 **cheap** 값싼 **useful** 유용한 **hand** 손

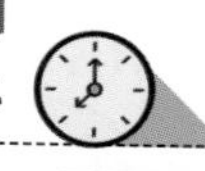

How 감탄문은 [How+형용사+(주어+동사)!]의 어순이 됩니다.

1 다음 문장을 감탄문으로 바꿔보세요. (문장을 생략하지 마세요.)

01 It is a very nice party. 그것은 매우 멋진 파티다.
→ What a nice party it is!

02 The boys are very strong. 그 소년들은 매우 강하다.
→ ______

03 It was a very exciting game. 그것은 매우 흥미진진한 경기였다.
→ ______

04 She has a very good dog. 그녀는 매우 좋은 개가 있다.
→ ______

05 This is a very funny movie. 이것은 매우 웃기는 영화다.
→ ______

06 The music is so wonderful. 그 음악은 매우 훌륭하다.
→ ______

07 We had a very good time. 우리는 매우 즐거운 시간을 보냈다.
→ ______

08 You are very diligent. 너는 매우 부지런하다.
→ ______

09 He is really kind. 그는 정말 친절하다.
→ ______

10 It is a very lovely day. 매우 사랑스러운 날이다.
→ ______

11 She has very nice caps. 그녀는 매우 멋진 모자들을 가지고 있다.
→ ______

12 The magazine is very interesting. 그 잡지는 매우 흥미롭다.
→ ______

WORDS

party 파티 **exciting** 흥미진진한 **game** 경기 **funny** 웃기는 **movie** 영화 **music** 음악 **wonderful** 훌륭한 **diligent** 부지런한 **kind** 친절한 **cap** (야구)모자 **magazine** 잡지 **interesting** 흥미로운

Review Test 4

Chapter 13-16

공부한 날 :　　　　부모님 확인 :

【01~02】 다음 중 우리말과 일치하도록 빈칸에 알맞은 것을 고르세요.

01> You ________ get up at 6 o'clock.
너는 6시에 일어나야 한다.

① must　② has to
③ won't　④ will
⑤ can

02> I ________ go to the movies tomorrow. 나는 내일 영화를 보러 갈 것이다.

① must　② has to
③ won't　④ will
⑤ can

03> 다음 중 밑줄 친 부분이 바르지 않은 것을 고르세요.

① I have to clean the room.
② Mike have to hurry up.
③ They have to leave now.
④ We have to go home.
⑤ He will stay home today.

04> 다음 중 빈칸에 올 수 없는 것을 고르세요.

David has to ________________.

① take care of her
② wash the dishes
③ bring lunch
④ stays at home
⑤ do his homework

【05~07】 다음 중 우리말을 영어로 바르게 쓴 것을 고르세요.

05> 우리는 그 집을 청소해야 한다.

① We can clean the house.
② We are able to clean the house.
③ We must to clean the house.
④ We have to clean the house.
⑤ We will clean the house.

06> 우리는 학교에 지각하지 말아야 한다.

① We must not do late for school.
② We must not late for school.
③ We must not be late for school.
④ We don't have to be late for school.
⑤ We will not be late for school.

07> 너는 그것을 읽을 필요가 없다.

① You won't have to read it.
② You must not read it.
③ You don't have to read it.
④ You aren't going to read it.
⑤ You don't has to read it.

【08~10】 다음 중 우리말과 일치하도록 빈칸에 알맞은 것을 고르세요.

08> I was busy yesterday because I ________ clean my room.
나는 어제 바빴다. 왜냐하면 나는 방을 청소해야 했기 때문이다.

① will ② has to
③ must ④ can
⑤ had to

09> It's Sunday. You ________ go to school. 일요일이다. 너는 학교에 갈 필요가 없다.

① must ② has to
③ don't have to ④ will not
⑤ can

10> She has a cold, so she ________ go to the party. 그녀는 감기에 걸렸다. 그래서 그녀는 파티에 가지 않을 것이다.

① does ② won't
③ have to ④ must
⑤ can

11> 다음 중 문장과 의미가 같은 것을 고르세요.

Minji can ride a bicycle.

① Minji will ride a bicycle.
② Minji cannot ride a bicycle.
③ Minji has to ride a bicycle.
④ Minji must ride a bicycle.
⑤ Minji is able to ride a bicycle.

12> 다음 중 질문에 알맞은 대답을 고르세요.

Can you help me with the dishes?

① Sure. ② I have do.
③ Yes, I do. ④ Thank you.
⑤ No, you can't

【13~14】 다음 중 빈칸에 알맞은 것을 고르세요.

13> He is from Canada, so he ________ speak English.

① won't ② doesn't have to
③ would ④ can
⑤ can't

14> I ________ help you because I'm busy today.

① must ② doesn't have to
③ would ④ can
⑤ can't

15> 다음 중 밑줄 친 **don't have to**와 바꾸어 쓸 수 있는 말을 고르세요.

You <u>don't have to</u> wear uniforms.

① need not ② must not
③ will not ④ don't must
⑤ can't

16> 다음 중 우리말과 일치하도록 빈칸에 알맞은 단어끼리 짝지어진 것은 고르세요.

- 나는 저 나무에 올라갈 수 있다.
  I ________ able to climb that tree.
- 그는 지금 집에 가야 한다.
  He ________ to go home now.

① be - must ② can - have
③ am - must ④ am - has
④ am - be

17> 다음 중 감탄문이 틀린 것을 고르세요.

① How greedy!
② What a nice car it is!
③ What a nice party!
④ What beautiful she is!
⑤ How big the animal is!

【18~19】 다음 중 문장을 감탄문으로 바르게 바꾼 것을 고르세요.

18> He is a very nice boy.

① What nice boy he is!
② What very nice boy he is!
③ What a nice boy he is!
④ What nice he is!
⑤ What nice a boy he is!

19> The car is very nice.

① What a nice car it is!
② What nice car it is!
③ What it is nice car!
④ How it is nice!
⑤ How nice the car is!

20> 다음 중 문장을 감탄문으로 잘못 바꾼 것을 고르세요.

① She is very pretty.
→ How pretty she is!
② They are really nice boys.
→ How nice boys they are!
③ This is a really nice school.
→ What a nice school this is!
④ The flower is really beautiful.
→ How beautiful the flower is!
⑤ It is a wonderful present.
→ What a wonderful present it is!

【21~22】다음 그림을 보고 감탄문을 완성하세요.

21>

________ beautiful flowers they are!

→ ____________________

22>

________ beautifully she sings!

→ ____________________

【23~24】 다음 그림을 보고 빈칸에 알맞은 말을 쓰세요.

23>

NO TAKING PICTURE

You ________ ________
take photos inside the museum.

→ ____________________

24>

You ________ wear a face mask.

→ ____________________

25> 다음 우리말과 일치하도록 보기의 단어를 이용하여 문장을 완성하세요.

너는 내일 일찍 일어날 필요가 없다.
(get up)

→ You ____________________
early tomorrow.

26> 다음 빈칸에 공통으로 알맞은 말을 쓰세요.

- I ________ play the violin.
  나는 바이올린을 켤 수 있다.
- You ________ go home.
  너는 집에 가도 좋다

→ ____________________

【27~28】 다음 두 문장이 의미가 같도록 빈칸에 알맞은 말을 쓰세요.

27>

He can't ride a bicycle.
= He ________ ________ ________ ride
a bicycle.

→ ____________________

28>

I can swim in the river.
= I ________ ________ ________
swim in the rive

→ ____________________

【29~30】 다음 문장을 감탄문으로 바꾸세요.

29>

The boxes are very heavy.

→ ____________________

30>

Mary is a very smart girl.

→ ____________________

memo

memo

memo

Longman

GRAMMAR HOUSE

초등영문법

3

WORKBOOK & ANSWERS

Pearson

Longman

GRAMMAR HOUSE

초등영문법

Vocabulary

다음 단어를 3번씩 더 쓰세요.

	단어	뜻	쓰기
01	beer	맥주	beer
02	bowl	그릇	bowl
03	bread	빵	bread
04	breakfast	아침식사	breakfast
05	cheese	치즈	cheese
06	coffee	커피	coffee
07	drink	마시다	drink
08	every day	매일	every day
09	flour	밀가루	flour
10	lunch	점심식사	lunch
11	milk	우유	milk
12	need	필요하다	need
13	pizza	피자	pizza
14	rice	밥, 쌀	rice
15	salt	소금	salt
16	soda	탄산음료	soda
17	soup	수프	soup
18	sugar	설탕	sugar
19	tea	차	tea
20	wine	와인	wine

1 다음 우리말 뜻에 해당하는 영어 단어를 쓰세요.

01 와인 → ____________ 02 맥주 → ____________

03 차 → ____________ 04 필요하다 → ____________

05 밥, 쌀 → ____________ 06 아침식사 → ____________

07 밀가루 → ____________ 08 우유 → ____________

09 소금 → ____________ 10 치즈 → ____________

11 커피 → ____________ 12 설탕 → ____________

2 다음 우리말과 일치하도록 보기에서 알맞은 단어를 골라 쓰세요.

lunch	flour	soup	every day	cheese

01 나의 여동생은 아침식사로 수프 한 그릇을 먹는다.
→ My sister eats a bowl of ____________ for breakfast.

02 나의 엄마는 매일 커피 한 잔을 마신다.
→ My mom drinks a cup of coffee ____________.

03 그는 점심식사로 피자 두 조각을 먹는다.
→ He eats two pieces of pizza for ____________.

중요문법 요점정리

▶ 셀 수 ________ 명사의 수량을 나타낼 때에는 앞에 숫자를 써서 [one, two, three + ________]의 형태로 표현합니다. 명사가 둘 이상이면 ________으로 바꿔줍니다.

▶ 셀 수 ________ 명사는 단위나 물질이 담겨 있는 ________를 이용하여 양을 표현합니다.

셀 수 없는 명사	단위 / 용기	셀 수 없는 명사	단위 / 용기
bread / cheese / pizza	________ / slice	wine / beer / juice	________
water / juice / milk	________	bread	________
coffee / tea	________	rice / soup	________

다음 단어를 3번씩 더 쓰세요.

	단어	뜻	쓰기
01	advice	조언, 충고	advice
02	bottle	병	bottle
03	bread	빵	bread
04	children	자녀	children
05	class	수업	class
06	coin	동전	coin
07	flower	꽃	flower
08	garden	정원	garden
09	homework	숙제	homework
10	medicine	약	medicine
11	money	돈	money
12	museum	박물관	museum
13	paper	종이	paper
14	people	사람들	people
15	pet	애완동물	pet
16	plan	계획	plan
17	plate	접시	plate
18	vase	꽃병	vase
19	vegetable	야채	vegetable
20	weekend	주말	weekend

1 다음 우리말 뜻에 해당하는 영어 단어를 쓰세요.

01 약 → ______
02 동전 → ______
03 자녀 → ______
04 정원 → ______
05 사람들 → ______
06 종이 → ______
07 빵 → ______
08 조언, 충고 → ______
09 계획 → ______
10 접시 → ______
11 꽃병 → ______
12 돈 → ______

2 다음 우리말과 일치하도록 보기에서 알맞은 단어를 골라 쓰세요.

advice	homework	paper	weekend	flowers

01 너는 오늘 숙제가 좀 있니?
→ Do you have any ______ today?

02 정원에 꽃들이 좀 있다.
→ There are some ______ in the garden.

03 이번 주말 그는 어떤 계획이 있니?
→ Does he have any plans this ______?

중요문법 요점정리

▶ some은 '약간의', '몇몇의'의 뜻으로 주로 ______에 쓰입니다.
some 다음에는 복수명사와 셀 수 ______ 명사가 옵니다.
• I have ______ cookies. 나는 과자가 좀 있다.

▶ some은 주로 긍정문에 쓰이지만 상대방에게 음식을 권하거나 무엇을 부탁할 때에는 ______에 사용할 수 있습니다.
• Would you like ______ coffee? 커피 좀 드시겠습니까?

▶ any는 '약간의', '하나도'라는 의미로 ______이나 의문문에 주로 쓰입니다.
• I don't have ______ water. 나는 물이 하나도 없다.

다음 단어를 3번씩 더 쓰세요.

	단어	뜻	쓰기
01	basket	바구니	basket
02	bucket	양동이	bucket
03	cap	야구모자	cap
04	coin	동전	coin
05	drink	마시다	drink
06	during	~ 동안	during
07	flour	밀가루	flour
08	lake	호수	lake
09	library	도서관	library
10	money	돈	money
11	need	필요하다	need
12	pocket	주머니	pocket
13	potato	감자	potato
14	salt	소금	salt
15	store	상점	store
16	subject	과목	subject
17	sugar	설탕	sugar
18	time	시간	time
19	toy	장난감	toy
20	trip	여행	trip

1 다음 우리말 뜻에 해당하는 영어 단어를 쓰세요.

01 양동이 → ______________ 02 소금 → ______________

03 설탕 → ______________ 04 과목 → ______________

05 돈 → ______________ 06 주머니 → ______________

07 시간 → ______________ 08 밀가루 → ______________

09 장난감 → ______________ 10 필요하다 → ______________

11 동전 → ______________ 12 여행 → ______________

2 다음 우리말과 일치하도록 보기에서 알맞은 단어를 골라 쓰세요.

trip	store	during	pocket	lake

01 엄마는 가게에서 많은 바나나를 샀다.

→ My mon bought a lot of bananas at the ______________.

02 호수에 물이 많이 있니?

→ Is there much water in the ______________?

03 나는 여행 동안 사람들을 거의 만나지 못했다.

→ I met few people ______________ my trip.

중요문법 요점정리

▶ '많음'으로 표현할 때 ______________는 복수명사와, ______________는 셀 수 없는 명사와, ______________는 복수명사와 셀 수 없는 명사 모두와 쓸 수 있습니다.

- There are ______________ people in the gym. 체육관에 사람이 많다.
- He doesn't have ______________ salt. 그는 소금을 많이 가지고 있지 않다.
- I have ______________ friends. 나는 친구들이 많다.

▶ '적음'으로 표현할 때 a few는 ______________와 ______________은 셀 수 없는 명사와 함께 사용합니다.

- I have a few ______________. 나는 책들이 조금 있다.
- I save a little ______________ every month. 나는 매달 약간의 돈을 저축한다.

다음 단어를 3번씩 더 쓰세요.

	단어	뜻	쓰기
01	bag	가방	bag
02	bicycle	자전거	bicycle
03	borrow	빌리다	borrow
04	cap	야구모자	cap
05	chair	의자	chair
06	computer	컴퓨터	computer
07	doll	인형	doll
08	father	아버지	father
09	friend	친구	friend
10	home	집	home
11	horse	말	horse
12	notebook	공책	notebook
13	puppy	강아지	puppy
14	stay	머물다	stay
15	store	상점	store
16	toy	장난감	toy
17	umbrella	우산	umbrella
18	uncle	삼촌	uncle
19	yellow	노란	yellow
20	yesterday	어제	yesterday

1 다음 우리말 뜻에 해당하는 영어 단어를 쓰세요.

01 야구모자 → ________
02 집 → ________
03 어제 → ________
04 아버지 → ________
05 우산 → ________
06 의자 → ________
07 머물다 → ________
08 말 → ________
09 장난감 → ________
10 노란 → ________
11 빌리다 → ________
12 공책 → ________

2 다음 우리말과 일치하도록 보기에서 알맞은 단어를 골라 쓰세요.

notebook friends doll home puppy

01 이것은 우리의 강아지가 아니다.
→ This is not our ________.

02 샘과 캐시는 그들의 친구들이다.
→ Sam and Cathy are their ________.

03 이것은 그녀의 인형이 아니다.
→ This is not her ________.

중요문법 요점정리

▸ 소유격은 뒤에 위치한 명사의 ________를 나타내는 역할을 합니다. 소유격 앞에 ________를 사용하지 않습니다.

▸ ________는 명사 없이 혼자 쓰이며 '~의 것'이라는 의미입니다.

주격	소유격	소유대명사	주격	소유격	소유대명사
I(나)	________	mine	we(우리)	our	________
you(너, 너희들)	your	________	they(그들)	________	theirs
he(그)	________	his	she(그녀)	her	________

Vocabulary

다음 단어를 3번씩 더 쓰세요.

	단어	뜻	쓰기
01	along	~을 따라	along
02	arrive	도착하다	arrive
03	bicycle	자전거	bicycle
04	bus stop	버스 정류장	bus stop
05	clean	청소하다	clean
06	cut	자르다	cut
07	dish	접시	dish
08	draw	그리다	draw
09	fix	고치다	fix
10	fly	날다	fly
11	paper	종이	paper
12	picture	그림	picture
13	ride	타다	ride
14	river	강	river
15	street	거리, 길	street
16	sunglasses	선글라스	sunglasses
17	uncle	삼촌	uncle
18	wash	닦다	wash
19	window	창문	window
20	woman	여자	woman

1 다음 우리말 뜻에 해당하는 영어 단어를 쓰세요.

01 고치다 → ____________ 02 거리, 길 → ____________

03 그리다 → ____________ 04 날다 → ____________

05 청소하다 → ____________ 06 종이 → ____________

07 타다 → ____________ 08 ~을 따라 → ____________

09 자르다 → ____________ 10 도착하다 → ____________

11 자전거 → ____________ 12 그림 → ____________

2 다음 우리말과 일치하도록 보기에서 알맞은 단어를 골라 쓰세요.

sunglasses window bus stop river dish

01 나의 아빠는 버스 정류장으로 가고 있다.
→ My dad is going to the ____________.

02 그녀는 선글라스를 쓰고 있다.
→ She is wearing ____________.

03 내 친구들은 강에서 수영하고 있다.
→ My friends are swimming in the ____________.

중요문법 요점정리

▶ 현재진행형이란 ____________ 시점에서 어떤 동작이 ____________ 되고 있는 상황을 나타내기 위해 씁니다.

▶ 현재진행형은 [____________ (am/is/are)] + ____________ + -ing]의 형태가 되어야 합니다.

▶

대부분의 동사에는 -________를 붙입니다.	rain → ____________
[자음+e]로 끝나는 동사는 마지막 -________를 빼고 -ing를 붙입니다.	live → ____________
-ie로 끝나는 동사는 -ie를 -________로 바꾸고 -ing를 붙입니다.	die → ____________
[자음+모음+자음] 또는 [자음+자음+모음+자음]으로 이루어진 단어는 마지막 ________을 한 번 더 쓰고 -ing를 붙입니다.	hit → ____________

다음 단어를 3번씩 더 쓰세요.

	단어	뜻	쓰기
01	bake	굽다	bake
02	clean	청소하다	clean
03	dinner	저녁식사	dinner
04	English	영어	English
05	glasses	안경	glasses
06	learn	배우다	learn
07	letter	편지	letter
08	market	시장	market
09	move	옮기다	move
10	movie	영화	movie
11	music	음악	music
12	now	지금	now
13	paint	페인트칠하다	paint
14	parents	부모	parents
15	plant	심다	plant
16	pool	수영장	pool
17	sleep	자다	sleep
18	snowman	눈사람	snowman
19	stay	머물다	stay
20	wall	벽	wall

1 다음 우리말 뜻에 해당하는 영어 단어를 쓰세요.

01 벽 → ____________
02 머물다 → ____________
03 지금 → ____________
04 수영장 → ____________
05 편지 → ____________
06 페인트칠하다 → ____________
07 배우다 → ____________
08 눈사람 → ____________
09 저녁식사 → ____________
10 심다 → ____________
11 음악 → ____________
12 시장 → ____________

2 다음 우리말과 일치하도록 보기에서 알맞은 단어를 골라 쓰세요.

movie	paint	parents	sleep	English

01 너의 선생님이 네 부모님을 만나고 계시니?
→ Is your teacher meeting your ____________?

02 그 학생들은 영어를 배우고 있니?
→ Are the students learning ____________?

03 그들은 영화를 보고 있니?
→ Are they watching a ____________?

중요문법 요점정리

▶ 현재진행형 부정문은 be동사(am/is/are) ________ 에 ________ 을 붙이며, '~하고 있지 않다'라는 의미입니다.

• I am watching TV. → I ________ ________ watching TV. 나는 TV를 보고 있지 않다.

▶ 현재진행형 의문문은 be동사(am/is/are)를 ________ 앞으로 보내며, '~하고 있니?', '~하는 중이니?' 등의 의미입니다.

• You are eating pizza. → ________ ________ eating pizza? 너는 피자를 먹고 있니?

▶ 현재진행형의 의문문 대답은 be동사 의문문과 동일하게 ________ 를 이용하여 대답합니다.

A: Are you ________ a book? 너는 책을 읽고 있니?
B: Yes, I ________. 응, 그래.

Vocabulary

다음 단어를 3번씩 더 쓰세요.

	단어	뜻	쓰기
01	a lot of	많은	a lot of
02	ask	묻다	ask
03	bark	짖다	bark
04	bridge	다리	bridge
05	build	만들다, 짓다	build
06	classroom	교실	classroom
07	draw	그리다	draw
08	homework	숙제	homework
09	hotel	호텔	hotel
10	kite	연	kite
11	newspaper	신문	newspaper
12	picture	그림	picture
13	question	질문	question
14	radio	라디오	radio
15	sky	하늘	sky
16	slowly	천천히	slowly
17	talk	말하다	talk
18	tennis	테니스	tennis
19	walk	산책시키다	walk
20	zebra	얼룩말	zebra

1 다음 우리말 뜻에 해당하는 영어 단어를 쓰세요.

01 질문 → ____________
02 그림 → ____________
03 많은 → ____________
04 짖다 → ____________
05 라디오 → ____________
06 그리다 → ____________
07 하늘 → ____________
08 연 → ____________
09 묻다 → ____________
10 만들다, 짓다 → ____________
11 숙제 → ____________
12 신문 → ____________

2 다음 우리말과 일치하도록 보기에서 알맞은 단어를 골라 쓰세요.

hotel zebra classroom bridge question

01 그녀는 얼룩말을 그리고 있었다.
→ She was drawing a ____________.

02 네 반 친구들은 교실을 청소했다.
→ Your classmates cleaned the ____________.

03 그들은 다리를 만들고 있었다.
→ They were building the ____________.

중요문법 요점정리

▶ 과거진행형이란 ________의 한 시점에 뭔가를 하고 있었던 것을 강조할 때 사용합니다.
과거진행형은 [be동사 과거형(was/were) + ________ + -ing]의 형태입니다.
• I ________ ________ TV. 나는 TV 보는 중이었다.

▶ 과거진행형 ________은 [be동사 ________(was/were) + not + 동사원형 + -ing]의 형태입니다.
• They ________[weren't] sleeping. 그들은 잠을 자고 있지 않았다.

▶ 과거진행형 의문문은 be동사 과거형(was/were)이 ________ 앞으로 옵니다.
A: ________ he ________ a book? 그는 책을 읽고 있는 중이었니?
B: Yes, he was. 응, 그래. / No he wasn't. 아니, 그렇지 않아.

다음 단어를 3번씩 더 쓰세요.

	단어	뜻	쓰기
01	bicycle	자전거	bicycle
02	cloudy	흐린	cloudy
03	dark	어두운	dark
04	date	날짜	date
05	far	먼	far
06	house	집	house
07	June	6월	June
08	March	3월	March
09	Monday	월요일	Monday
10	morning	아침	morning
11	November	11월	November
12	now	지금	now
13	outside	밖	outside
14	party	파티	party
15	rainy	비가 오는	rainy
16	Saturday	토요일	Saturday
17	spring	봄	spring
18	today	오늘	today
19	weather	날씨	weather
20	yesterday	어제	yesterday

1 다음 우리말 뜻에 해당하는 영어 단어를 쓰세요.

01 흐린 → ______________
02 밖 → ______________
03 토요일 → ______________
04 6월 → ______________
05 어두운 → ______________
06 봄 → ______________
07 먼 → ______________
08 지금 → ______________
09 비가 오는 → ______________
10 자전거 → ______________
11 오늘 → ______________
12 날짜 → ______________

2 다음 우리말과 일치하도록 보기에서 알맞은 단어를 골라 쓰세요.

Saturday	yesterday	weather	Monday	morning

01 날씨가 어떠니?
→ How is the ______________?

02 월요일 아침이다.
→ It is Monday ______________.

03 어제는 춥고 눈이 왔다.
→ It was cold and snowy ______________.

중요문법 요점정리

▶ it은 '그것'이라는 의미로 명사를 대신해 쓰는 ______________ 입니다. 그리고 it은 날씨, 날짜, 요일 등을 나타내는 문장에서 주어로 사용할 수 있는데, 이때 it은 ______________ 주어라고 부릅니다.

• ______________ it → It is my computer. 그것은 나의 컴퓨터다.

▶ 비인칭 주어 it은 시각 / 날짜 / 계절 / 날씨 / 요일 / 명암 / 거리를 표현합니다.

• It is 10 o'clock. 10시이다. (시각)
• It is October 10th. 10월 10일이다. (______________)
• It is summer. 여름이다. (______________)
• It is rainy. 비가 온다. (______________)
• It is Tuesday today. 오늘은 화요일이다. (______________)
• It is dark. 어둡다. (______________)
• It is far from my house. 나의 집에서 멀다. (______________)

Vocabulary

다음 단어를 3번씩 더 쓰세요.

	단어	뜻	쓰기
01	arrive	도착하다	arrive
02	bakery	빵집	bakery
03	bank	은행	bank
04	carefully	조심스럽게	carefully
05	climb	오르다	climb
06	coin	동전	coin
07	family	가족	family
08	hill	언덕	hill
09	ladder	사다리	ladder
10	last week	지난주	last week
11	mountain	산	mountain
12	pocket	주머니	pocket
13	river	강	river
14	shore	해안	shore
15	soon	곧	soon
16	stairs	계단	stairs
17	street	거리	street
18	tomorrow	내일	tomorrow
19	travel	여행하다	travel
20	trip	여행	trip

1 다음 우리말 뜻에 해당하는 영어 단어를 쓰세요.

01 가족 → ____________
02 강 → ____________
03 사다리 → ____________
04 계단 → ____________
05 조심스럽게 → ____________
06 오르다 → ____________
07 산 → ____________
08 내일 → ____________
09 곧 → ____________
10 빵집 → ____________
11 거리 → ____________
12 해안 → ____________

2 다음 우리말과 일치하도록 보기에서 알맞은 단어를 골라 쓰세요.

shore trip hill street pocket

01 마이크는 엄마를 만나기 위해 언덕을 달려 내려갔다.
→ Mike ran down the ____________ to meet his mom.

02 톰은 약간의 돈을 그의 주머니에서 꺼냈다.
→ Tom took some money out of his ____________.

03 우리는 런던에서 파리까지 여행할 것이다.
→ We are going on a ____________ from London to Paris.

중요문법 **요점정리**

▶ 방향 전치사는 사람이나 사물의 ____________ 을 보다 구체적으로 표현하기 위해 사용합니다.
전치사는 혼자서는 아무런 의미가 없으며 ____________ [대명사] 앞에 와야 합니다.

to + 도착지	~ 으로, ~에	____________ school 학교로
from + 출발지	~에서, ~으로부터, ~ 출신의	____________ the station 역에서
into	~ 안으로	____________ the room 방 안으로
out of	~ 밖으로	____________ the room 방 밖으로
up	~ 위로	____________ the stairs 계단 위로
down	~ 아래로	____________ the ladder 사다리 아래로

Vocabulary

다음 단어를 3번씩 더 쓰세요.

	단어	뜻	쓰기
01	at night	밤에	at night
02	busy	바쁜	busy
03	class	수업	class
04	clean	청소하다	clean
05	early	일찍	early
06	forget	잊다	forget
07	get up	일어나다	get up
08	help	도움	help
09	homework	숙제	homework
10	kind	친절한	kind
11	late	늦은	late
12	listen	듣다	listen
13	noodle	국수	noodle
14	practice	연습하다	practice
15	remember	기억하다	remember
16	skirt	치마	skirt
17	soccer	축구	soccer
18	summer	여름	summer
19	use	사용하다	use
20	zoo	동물원	zoo

Vocabulary Workbook

1 다음 우리말 뜻에 해당하는 영어 단어를 쓰세요.

01 연습하다 → ____________ 02 축구 → ____________

03 듣다 → ____________ 04 바쁜 → ____________

05 도움 → ____________ 06 여름 → ____________

07 숙제 → ____________ 08 수업 → ____________

09 늦은 → ____________ 10 친절한 → ____________

11 잊다 → ____________ 12 사용하다 → ____________

2 다음 우리말과 일치하도록 보기에서 알맞은 단어를 골라 쓰세요.

remember	summer	at night	noodles	forget

01 나의 엄마는 절대 밤에 커피를 마시지 않으신다.
→ My mom never has coffee ____________.

02 우리는 항상 너를 기억할 것이다.
→ We will always ____________ you.

03 나는 보통 점심식사로 국수를 먹는다.
→ I usually eat ____________ for lunch.

중요문법 요점정리

▶ 빈도부사는 어떤 행동을 얼마나 ____________ 하는지를 나타내주는 역할을 합니다.

always 항상, 언제나	____________ 대개, 보통	often 자주, 종종	____________ 가끔, 때때로	seldom 좀처럼 ~ 않는	____________ 절대 ~않는

▶ 빈도부사의 위치

일반동사 앞	We ____________ watch movies. 우리는 종종 영화를 본다.
be동사 / 조동사 뒤	She ____________ sometimes late. 그녀는 가끔 지각한다. I will ____________ miss you. 나는 항상 너를 그리워 할 것이다.

Vocabulary

다음 단어를 3번씩 더 쓰세요.

	단어	뜻	쓰기
01	die	죽다	die
02	exam	시험	exam
03	fan	선풍기	fan
04	guitar	기타	guitar
05	handsome	잘생긴	handsome
06	healthy	건강한	healthy
07	hungry	배고픈	hungry
08	hurry up	서두르다	hurry up
09	job	직업	job
10	know	알다	know
11	outside	밖	outside
12	pass	통과하다	pass
13	sick	아픈	sick
14	smart	영리한	smart
15	tired	피곤한	tired
16	toothache	치통	toothache
17	tropical	열대의	tropical
18	turn on	~을 켜다	turn on
19	upset	화난	upset
20	violin	바이올린	violin

1 다음 우리말 뜻에 해당하는 영어 단어를 쓰세요.

01 선풍기 → ________ 02 기타 → ________
03 영리한 → ________ 04 배고픈 → ________
05 화난 → ________ 06 피곤한 → ________
07 열대의 → ________ 08 시험 → ________
09 직업 → ________ 10 치통 → ________
11 죽다 → ________ 12 아픈 → ________

2 다음 우리말과 일치하도록 보기에서 알맞은 단어를 골라 쓰세요.

healthy hungry outside pass upset

01 밖에 비가 내려서 나는 창문을 닫았다.
→ It rained ________, so I closed the window.

02 매일 산책을 해라, 그러면 건강해질 것이다.
→ Take a walk every day, and you will be ________.

03 열심히 공부해라, 그러면 시험에 합격할 것이다.
→ Study hard, and you will ________ the exam.

중요문법 요점정리

▶ 접속사란 영어 문장에서 단어와 ________, ________과 문장을 연결하는 역할을 합니다.

________ ~와(과), 그리고	________ 그러나, 하지만	________ ~ 아니면, 또는	________ 그래서	________ 왜냐하면

▶ 명령문 다음에 접속사 and나 or로 연결된 문장을 사용할 수 있습니다.

명령문 + and + ________ + ________ (긍정의 결과)	Get up now, ________ you will catch the bus. 지금 일어나라, 그러면 버스를 탈 수 있을 것이다.
명령문 + ________ + 주어 + 동사 (부정의 결과)	Get up now, ________ you will be late for school. 지금 일어나라, 그렇지 않으면 학교에 지각할 것이다.

Chapter 12 Vocabulary

다음 단어를 3번씩 더 쓰세요.

	단어	뜻	쓰기
01	bat	방망이	bat
02	beach	해변	beach
03	bridge	다리	bridge
04	cheese	치즈	cheese
05	classroom	교실	classroom
06	grandfather	할아버지	grandfather
07	grandmother	할머니	grandmother
08	gym	체육관	gym
09	hotel	호텔	hotel
10	hour	시간	hour
11	month	달, 월	month
12	museum	박물관	museum
13	often	자주	often
14	once	한 번	once
15	practice	연습하다	practice
16	ribbon	리본	ribbon
17	slice	조각	slice
18	stay	머물다	stay
19	tower	타워	tower
20	yellow	노란	yellow

1 다음 우리말 뜻에 해당하는 영어 단어를 쓰세요.

01 체육관 → ____________
02 달, 월 → ____________
03 방망이 → ____________
04 호텔 → ____________
05 타워 → ____________
06 노란 → ____________
07 할아버지 → ____________
08 다리 → ____________
09 머물다 → ____________
10 해변 → ____________
11 연습하다 → ____________
12 리본 → ____________

2 다음 우리말과 일치하도록 보기에서 알맞은 단어를 골라 쓰세요.

gym classroom once often tower

01 교실에는 의자가 얼마나 있니?
→ How many chairs are there in the ____________?

02 너는 해변에 얼마나 자주 가니?
→ How ____________ do you go to the beach?

03 그는 한 달에 한 번 낚시하러 간다.
→ He goes fishing ____________ a month.

중요문법 요점정리

▶ [____________ + 형용사/부사 ~?]는 '얼마나 ~한'이란 의미로 구체적인 ____________를 얻기 위해 사용합니다.

▶ 수나 양의 정보를 물을 때

How ____________ + 복수명사 ~? (셀 수 있는 것의 수를 알고자 할 때)	How ____________ + 셀 수 없는 명사 ~? (셀 수 없는 것의 양을 알고자 할 때)

▶ 나이 / 키 / 길이 / 빈도를 물을 때

How ____________ ~? (사물의 길이나 어떤 기간을 물을 때)	How ____________ ~? (사람 키나 사물의 높이를 물을 때)
How ____________ ~? (사람의 나이나 사물의 오래된 정도를 물을 때)	How ____________ ~? (어떤 행위의 빈도를 물을 때)

다음 단어를 3번씩 더 쓰세요.

	단어	뜻	쓰기
01	buy	사다	buy
02	cellphone	휴대전화	cellphone
03	Chinese	중국어	Chinese
04	climb	오르다	climb
05	close	닫다	close
06	club	모임	club
07	help	돕다	help
08	here	여기	here
09	light	불	light
10	market	시장	market
11	movie	영화	movie
12	problem	문제	problem
13	room	방	room
14	scientist	과학자	scientist
15	sea	바다	sea
16	solve	해결하다	solve
17	soon	곧	soon
18	station	역	station
19	sunny	맑은	sunny
20	uncle	삼촌	uncle

1 다음 우리말 뜻에 해당하는 영어 단어를 쓰세요.

01 해결하다 → ______________
02 맑은 → ______________
03 모임 → ______________
04 불 → ______________
05 방 → ______________
06 과학자 → ______________
07 시장 → ______________
08 삼촌 → ______________
09 오르다 → ______________
10 여기 → ______________
11 문제 → ______________
12 곧 → ______________

2 다음 우리말과 일치하도록 보기에서 알맞은 단어를 골라 쓰세요.

cellphone climb close scientist buy

01 창문 좀 닫아 주시겠습니까?
→ Would you ______________ the window?

02 그녀는 너의 휴대전화를 사용하지 않을 것이다.
→ She will not use your ______________.

03 나는 시장에서 사과를 좀 살 것이다.
→ I will ______________ some apples at the market.

중요문법 요점정리

▶ ______________은 조동사로 '~할 것이다', '~일 것이다'의 의미를 가지고 있으며, 미래에 할 일이나 미래에 일어날 일을 예측할 때 사용합니다.

미래의 의지 (~할 것이다)	I ______________ do my homework. 나는 숙제를 할 것이다.
미래의 예측 (~일 것이다)	It will ______________ tomorrow. 내일 비가 올 것이다.

▶ will의 부정문은 [will ______________ + 동사원형] 또는 [won't + ______________]으로 표현하며 '~하지 않을 것이다'로 해석합니다.

▶ will의 의문문을 만들 때는 will을 문장 ______________으로 보내고 문장 끝에 물음표를 붙입니다.

다음 단어를 3번씩 더 쓰세요.

	단어	뜻	쓰기
01	already	벌써	already
02	attend	참석하다	attend
03	dirty	더러운	dirty
04	driver	운전사	driver
05	elevator	엘리베이터	elevator
06	floor	바닥	floor
07	library	도서관	library
08	lie	거짓말하다	lie
09	meal	식사	meal
10	meeting	회의	meeting
11	out of order	고장 난	out of order
12	park	주차하다	park
13	quiet	조용한	quiet
14	right now	지금 당장	right now
15	seat belt	안전벨트	seat belt
16	skip	거르다	skip
17	smoke	흡연하다	smoke
18	subway	지하철	subway
19	tonight	오늘 밤	tonight
20	uniform	유니폼	uniform

Vocabulary Workbook

1 다음 우리말 뜻에 해당하는 영어 단어를 쓰세요.

01 거르다 → ______ 02 흡연하다 → ______
03 벌써 → ______ 04 회의 → ______
05 거짓말하다 → ______ 06 더러운 → ______
07 운전사 → ______ 08 오늘 밤 → ______
09 바닥 → ______ 10 주차하다 → ______
11 유니폼 → ______ 12 도서관 → ______

2 다음 우리말과 일치하도록 보기에서 알맞은 단어를 골라 쓰세요.

lie meals subway attend smoke

01 너는 지하철을 탈 필요는 없다.
→ You don't have to take the ______.

02 우리는 지난주 회의에 참석해야 했다.
→ We had to ______ the meeting last week.

03 너는 식사 전에는 손을 씻어야 한다.
→ You have to wash your hands before ______.

중요문법 요점정리

▶ must와 ______ ______ 는 강한 의무를 나타내는 조동사로 뒤에 ______ 이 와야 합니다.

▶ must의 부정문은 must ______ 을, have to의 부정문은 ______ have to를 사용합니다.

must not + 동사원형 (~하면 안 된다 - 강한 금지)	You ______ ______ swim here. 이곳에서 수영하면 안 된다.
don't[doesn't] have to+동사원형 (~할 필요가 없다)	You ______ ______ ______ go to school today. 너는 오늘 학교 갈 필요가 없다.

▶ have to의 의문문은 Have가 아닌 ______ [Does]를 문장 앞에 써야 합니다.

• Do I ______ ______ wear a school uniform? 내가 교복을 입어야 하니?

Vocabulary

다음 단어를 3번씩 더 쓰세요.

	단어	뜻	쓰기
01	answer	대답하다	answer
02	ask	묻다	ask
03	climb	오르다	climb
04	dictionary	사전	dictionary
05	drive	운전하다	drive
06	fast	빠르게	fast
07	fresh	신선한	fresh
08	great	위대한	great
09	horse	말	horse
10	lend	빌려주다	lend
11	market	시장	market
12	party	파티	party
13	question	질문	question
14	sea	바다	sea
15	speak	말하다	speak
16	tennis	테니스	tennis
17	tonight	오늘 밤	tonight
18	traffic sign	교통 표지판	traffic sign
19	understand	이해하다	understand
20	use	사용하다	use

1 다음 우리말 뜻에 해당하는 영어 단어를 쓰세요.

01 사전 → ____________ 02 말 → ____________

03 빠르게 → ____________ 04 위대한 → ____________

05 신선한 → ____________ 06 운전하다 → ____________

07 테니스 → ____________ 08 사용하다 → ____________

09 질문 → ____________ 10 오르다 → ____________

11 바다 → ____________ 12 빌려주다 → ____________

2 다음 우리말과 일치하도록 보기에서 알맞은 단어를 골라 쓰세요.

understand drive market speak tonight

01 오늘 밤 나와 함께 쇼핑할 수 있니?

→ Can you go shopping with me ____________?

02 그 교통 표지판을 이해할 수 있니?

→ Can you ____________ the traffic sign?

03 우리는 시장에서 신선한 야채를 살 수 있다.

→ We can buy fresh vegetables at the ____________.

중요문법 요점정리

▶ can은 조동사로 [can+ ____________]의 형태로 쓰이며, 가능이나 능력을 표현할 때 사용합니다.

________ (~할 수 있다)	I can ________ you now. 나는 지금 너를 도와줄 수 있다.
________ (~할 수 있다, ~할 줄 안다)	He ________ ride a bike. 그는 자전거를 탈 줄 안다.

▶ 조동사 can의 부정문은 [____________ + 동사원형] 또는 [can't + 동사원형] 형태로 씁니다.

▶ 능력을 나타내는 can은 ____________ ____________ ____________로, cannnot[can't]은 be ____________ able to로 바꿔 쓸 수 있습니다.

▶ 의문문은 can을 문장 앞으로 보냅니다. 이때 ____________를 사용하면 더 공손한 표현이 됩니다.

Chapter 16

Vocabulary

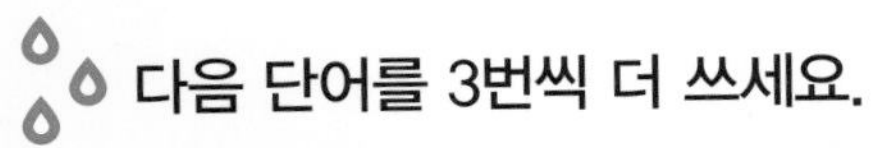
다음 단어를 3번씩 더 쓰세요.

	단어	뜻	쓰기
01	beautiful	아름다운	beautiful
02	cheap	싼	cheap
03	delicious	맛있는	delicious
04	diligent	부지런한	diligent
05	exciting	흥미진진한	exciting
06	game	경기	game
07	heavy	무거운	heavy
08	interesting	흥미로운	interesting
09	kind	친절한	kind
10	lovely	사랑스러운	lovely
11	magazine	잡지	magazine
12	movie	영화	movie
13	quickly	빠르게	quickly
14	simple	간단한	simple
15	strong	강한	strong
16	sweet	달콤한	sweet
17	useful	유용한	useful
18	voice	목소리	voice
19	wonderful	멋진, 훌륭한	wonderful
20	world	세상	world

1 다음 우리말 뜻에 해당하는 영어 단어를 쓰세요.

01 싼 → ____________
02 영화 → ____________
03 달콤한 → ____________
04 목소리 → ____________
05 멋진 → ____________
06 사랑스러운 → ____________
07 무거운 → ____________
08 맛있는 → ____________
09 빠르게 → ____________
10 간단한 → ____________
11 흥미로운 → ____________
12 세상 → ____________

2 다음 우리말과 일치하도록 보기에서 알맞은 단어를 골라 쓰세요.

useful	heavy	exciting	sweet	magazine

01 그것은 매우 흥미진진한 경기였다.
→ It was a very ____________ game.

02 그 잡지는 매우 흥미롭다.
→ The ____________ is very interesting.

03 이 컴퓨터는 정말 유용하구나!
→ How ____________ this computer is!

중요문법 요점정리

▶ 감탄문은 ____________ 이나 How로 시작하며, 문장의 끝에 ____________ (!)를 붙입니다.

▶ What으로 시작하는 감탄문은 명사를 감탄할 때 사용하며, [What + (a(n)) + 형용사 + ____________ + (주어 + 동사)!]의 형태가 됩니다.

• ____________ a beautiful ____________ she has! 그녀는 정말 아름다운 목소리를 가졌구나! - 명사(voice) 감탄

▶ How로 시작하는 감탄문은 형용사나 부사를 감탄할 때 사용하며, [How + ____________ + (주어 + 동사)!]의 형태가 됩니다.

• ____________ ____________ he swims! 그는 정말 빠르게 수영하는구나! - 부사(fast) 감탄

Vocabulary Workbook Answers

Chapter 01

1 01 wine 02 beer 03 tea 04 need 05 rice 06 breakfast 07 flour 08 milk 09 salt 10 cheese 11 coffee 12 sugar

2 01 soup 02 every day 03 lunch

중요문법 요점정리
- ▶ 있는 / 명사 / 복수형
- ▶ 없는 / 용기 / piece / bottle / glass / loaf / cup / bowl

Chapter 02

1 01 medicine 02 coin 03 children 04 garden 05 people 06 paper 07 bread 08 advice 09 plan 10 plate 11 vase 12 money

2 01 homework 02 flowers 03 weekend

중요문법 요점정리
- ▶ 긍정문 / 없는 / some
- ▶ 의문문 / some
- ▶ 부정문 / any

Chapter 03

1 01 bucket 02 salt 03 sugar 04 subject 05 money 06 pocket 07 time 08 flour 09 toy 10 need 11 coin 12 trip

2 01 store 02 lake 03 during

중요문법 요점정리
- ▶ many / much / a lot of / many / much / a lot of[many]
- ▶ 복수명사 / a little / books / money

Chapter 04

1 01 cap 02 home 03 yesterday 04 father 05 umbrella 06 chair 07 stay 08 horse 09 toy 10 yellow 11 borrow 12 notebook

2 01 puppy 02 friends 03 doll

중요문법 요점정리
- ▶ 소유 / 관사
- ▶ 소유대명사 / my / ours / yours / their / his / hers

Chapter 05

1 01 fix 02 street 03 draw 04 fly 05 clean 06 paper 07 ride 08 along 09 cut 10 arrive 11 bicycle 12 picture

2 01 bus stop 02 sunglasses 03 river

중요문법 요점정리
- ▶ 현재 / 진행
- ▶ be동사 / 동사원형
- ▶ ing / raining / e / living / y / dying / 자음 / hitting

Chapter 06

1 01 wall 02 stay 03 now 04 pool 05 letter 06 paint 07 learn 08 snowman 09 dinner 10 plant 11 music 12 market

2 01 parents 02 English 03 movie

중요문법 요점정리
- ▶ 뒤 / not / am not
- ▶ 주어 / Are you
- ▶ be동사 / reading / am

Chapter 07

1 01 question 02 picture 03 a lot of
04 bark 05 radio 06 draw
07 sky 08 kite 09 ask
10 build 11 homework 12 newspaper

2 01 zebra 02 classroom 03 bridge

중요문법 요점정리
- ▶ 과거 / 동사원형 / was watching
- ▶ 부정문 / 과거형 / were not
- ▶ 주어 / Was / reading

Chapter 08

1 01 cloudy 02 outside 03 Saturday 04 June
05 dark 06 spring 07 far 08 now
09 rainy 10 bicycle 11 today 12 date

2 01 weather 02 morning 03 yesterday

중요문법 요점정리
- ▶ 대명사 / 비인칭 / 대명사
- ▶ 날짜 / 계절 / 날씨 / 요일 / 명암 / 거리

Chapter 09

1 01 family 02 river 03 ladder 04 stairs
05 carefully 06 climb 07 mountain 08 tomorrow
09 soon 10 bakery 11 street 12 shore

2 01 hill 02 pocket 03 trip

중요문법 요점정리
- ▶ 움직임 / 명사 / to / from / into / out of / up / down

Chapter 10

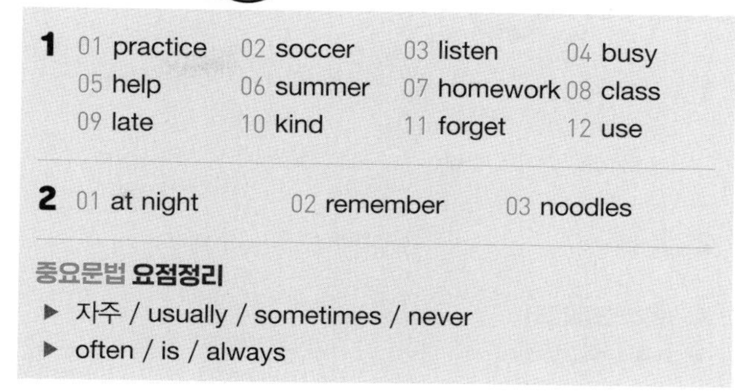

1 01 practice 02 soccer 03 listen 04 busy
05 help 06 summer 07 homework 08 class
09 late 10 kind 11 forget 12 use

2 01 at night 02 remember 03 noodles

중요문법 요점정리
- ▶ 자주 / usually / sometimes / never
- ▶ often / is / always

Chapter 11

1 01 fan 02 guitar 03 smart 04 hungry
05 upset 06 tired 07 tropical 08 exam
09 job 10 toothache 11 die 12 sick

2 01 outside 02 healthy 03 pass

중요문법 요점정리
- ▶ 단어 / 문장 / and / but / or / so / because
- ▶ 주어 / 동사 / and / or / or

Chapter 12

1 01 gym 02 month 03 bat
04 hotel 05 tower 06 yellow
07 grandfather 08 bridge 09 stay
10 beach 11 practice 12 ribbon

2 01 classroom 02 often 03 once

중요문법 요점정리
- ▶ How / 정보
- ▶ many / much
- ▶ long / tall / old / often

Chapter 13

1 01 solve 02 sunny 03 club 04 light
05 room 06 scientist 07 market 08 uncle
09 climb 10 here 11 problem 12 soon

2 01 close 02 cellphone 03 buy

중요문법 요점정리
▶ will / will / rain
▶ not / 동사원형
▶ 앞

Chapter 14

1 01 skip 02 smoke 03 already 04 meeting
05 lie 06 dirty 07 driver 08 tonight
09 floor 10 park 11 uniform 12 library

2 01 subway 02 attend 03 meals

중요문법 요점정리
▶ have to / 동사원형
▶ not / don't / must not / don't have to
▶ Do / have to

Chapter 15

1 01 dictionary 02 horse 03 fast
04 great 05 fresh 06 drive
07 tennis 08 use 09 question
10 climb 11 sea 12 lend

2 01 tonight 02 understand 03 market

중요문법 요점정리
▶ 동사원형 / 가능 / help / 능력 / can
▶ cannot
▶ be able to / not
▶ Could

Chapter 16

1 01 cheap 02 movie 03 sweet
04 voice 05 wonderful 06 lovely
07 heavy 08 delicious 09 quickly
10 simple 11 interesting 12 world

2 01 exciting 02 magazine 03 useful

중요문법 요점정리
▶ What / 느낌표
▶ 명사 / What / voice
▶ 형용사[부사] / How fast

Longman

GRAMMAR HOUSE

초등영문법

3

ANSWERS

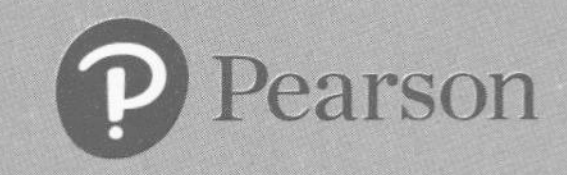

Answers

Chapter  셀 수 없는 명사의 수량 표시

Practice 1 p. 7

1
01 glass 02 pieces 03 bowl 04 cup
05 bottles 06 loaf 07 cups 08 glasses
09 bottles 10 loaves

Practice 2 p. 8

1
01 three cups of coffee 02 a piece[slice] of pizza
03 two glasses of milk 04 a cup of coffee
05 a bag of sugar 06 two bags of salt
07 a bowl of rice 08 three bottles of beer
09 four loaves of bread 10 five glasses of milk
11 three bags of flour 12 six bottles of juice
13 two pieces[slice] of cheese
14 a bowl of soup 15 three bottles of wine

Practice 3 p. 9

1
01 needs a bag of salt
02 has three loaves of bread
03 eats a bowl of soup
04 drinks a cup of coffee
05 wants five bottles of wine

2
01 glasses 02 bags 03 loaves 04 bottles
05 pieces / slices

Chapter 02 some / any

Practice 1 p. 11

1
01 some 02 any 03 some 04 friends
05 some 06 any 07 some 08 coins
09 any 10 some 11 any 12 any

해석 및 해설

01 *긍정문에는 some을 씁니다.
02 *부정문에는 some을 씁니다.
03 *부탁할 때는 의문문에 any를 씁니다.
07 *권유할 때는 의문문에 some을 씁니다.

Practice 2 p. 12

1
01 some 02 any 03 some 04 some
05 some 06 any 07 some 08 any
09 any 10 any 11 any 12 some

해석 및 해설

05 *부탁할 때는 의문문에 some을 씁니다.

Practice 3 p. 13

1
01 had some pizza for lunch
02 buy any vegetables 03 eat some cake
04 like some coffee
05 bake some cookies for you
06 have any sisters and brothers
07 need some cheese 08 any flowers in the vase
09 you like some cake 10 buy some bread
11 take any medicine
12 have any homework today

Chapter 03 many/much/a lot of와 a few/a little

Practice 1 p. 15

1
01 coins 02 toys 03 a little
04 much 05 computers 06 a little
07 a little 08 many 09 a few
10 much 11 much 12 many

Practice 2 p. 16

1
01 a few 02 a little 03 many 04 much
05 few 06 little 07 much 08 many
09 a little 10 many

Practice 3 p. 17

1
01 a few 02 a little
03 bananas 04 many / a lot of
05 ○ 06 few
07 ○ 08 much / a lot of
09 caps 10 ○
11 a few 12 little

Chapter 04 인칭대명사 Ⅲ – 소유격/소유대명사

Practice 1 p. 19

1 01 their 02 his 03 their
04 My / your 05 his 06 It / her
07 Your / their 08 mine 09 her dad's
10 yours / sister's 11 ours / yours 12 their

Practice 2 p. 20

1 01 my 02 own 03 our
04 his 05 mine / hers 06 our / theirs
07 my sister's 08 her 09 your / ours
10 her 11 John's 12 his

Practice 3 p. 21

1 01 hers 02 theirs 03 yours 04 theirs
05 ours

2 01 나의 여동생의 가방은 노란색이다.
02 이것은 그녀의 인형이 아니다. 이 인형은 나의 것이다.
03 그는 어제 그들의 아버지를 만났다.
04 이것은 우리의 자전거가 아니다. 이 자전거는 그녀의 것이다.
05 미나의 우산을 빌릴 수 있니?

Review Test 1 p. 22

01 ⑤ 02 ③ 03 ⑤ 04 bowl 05 glasses 06 ①
07 ③ 08 ③ 09 ④ 10 ⑤ 11 ⑤ 12 ③
13 a few / some 14 few 15 any 16 ② 17 ②
18 ④ 19 ③ 20 ③ 21 a lot of 22 ① 23 ②
24 their 25 our 26 yours / mine
27 He doesn't drink much[a lot of] milk.
28 Jessie has three loaves of bread.
29 needs two bags of sugar 30 little milk in the bottle

해석 및 해설

01 *book은 셀 수 있는 명사입니다.
02 나는 피자 한 조각이 있다.
*pizza를 셀 수 있는 단위를 나타내는 명사가 와야 합니다.
03 나는 물 두 병이 필요하다.
08 *권유나 요청을 나타내는 경우 의문문에 some을 씁니다.
09 *a few가 있으므로 셀 수 있는 명사가 올 수 있습니다.
10 *a little이 있으므로 셀 수 없는 명사가 올 수 있습니다.
11 냉장고에 우유가 조금도 없다. / 그들은 주말 동안 영화를 좀 봤다.
12 ① 나의 엄마는 설탕이 좀 필요하다.
② 그는 많은 모형비행기가 있다.
④ 음식을 좀 드시겠어요?
⑤ 나는 치즈가 좀 있다.
*③에는 much 대신 many나 any가 옵니다.
16 그녀는 야채를 좀 사러 갈 것이다. / 케이크를 좀 드시겠어요?
17 *명사 book의 소유를 나타내는 소유격이 올 수 있습니다.
18 *뒤에 명사가 없으므로 소유대명사가 와야 합니다.
19 ① 상자에 책이 좀 있다.
② 교실에 학생들이 하나도 없다.
④ 나는 캐나다에 많은 친구들이 있다.
⑤ 이 책은 내 것이 아니다.
*a few 다음에는 복수명사가 옵니다.
20 ① 그는 돈이 많이 없다.
② 하늘에 많은 별들이 있다.
④ 그는 자신의 자전거를 원한다.
⑤ 이것은 도노반의 방이다.
*some이 있으므로 동사는 복수인 are가 와야 합니다.
21 도서관에는 많은 책이 있니?
22 *셀 수 없는 money의 부정형이므로 little이 옵니다.
23 *이름이나 명사의 소유격은 's를 붙입니다.

Chapter 05 현재진행형

Practice 1 p. 27

1 01 읽다 / reading 02 연주하다, 경기를 하다 / playing
03 타다 / riding 04 멈추다 / stopping
05 자르다 / cutting 06 고치다 / fixing
07 마시다 / drinking 08 듣다 / listening
09 노래하다 / singing 10 보다 / watching
11 만들다 / making 12 수영하다 / swimming
13 도착하다 / arriving 14 사다 / buying
15 말하다 / speaking 16 돕다 / helping
17 치다, 때리다 / hitting 18 쓰다 / writing
19 날다 / flying 20 기다리다 / waiting

Practice 2 p. 28

1 01 am cleaning 02 are swimming 03 is washing
04 are drawing 05 is riding 06 is waiting
07 are running 08 is closing 09 is meeting
10 are sitting 11 is / playing 12 is going

Practice 3 p. 29

1 01 is making 02 is taking 03 is wearing
04 is watching 05 is playing 06 are buying
07 are walking 08 is drinking 09 are sleeping
10 is cutting

Chapter 06 현재진행형 – 부정문/의문문

Practice 1 p. 31

1 01 I am not singing a song.
02 He is not[isn't] making a snowman.
03 The man is not[isn't] sitting on the sofa.
04 We are not[aren't] playing tennis.
05 Are you waiting for the school bus?
06 Is he staying at home?
07 Are you writing a letter?
08 Cindy is not[isn't] swimming in the pool.
09 He is not[isn't] sleeping on the bed.
10 Is Cathy meeting Tony?
11 I am not painting the wall.
12 Is her father driving the bus?

Practice 2 p. 32

1 01 Are / Yes / they 02 she is
03 he / No / isn't 04 they are
05 Is / she isn't 06 Is / Yes / he
07 No / she 08 Are / they are
09 No / she isn't 10 Are / they aren't
11 Are / they 12 Is / he is

해석 및 해설

02/04/07/08/09/11 *명사로 물어봐도 대답은 대명사로 합니다.

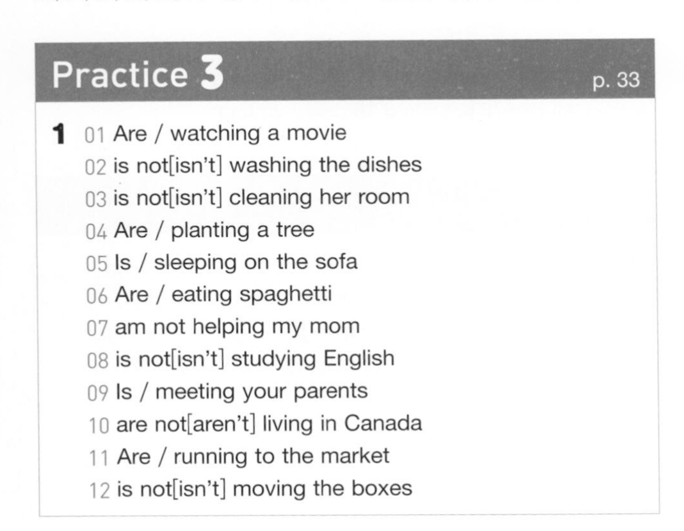

Practice 3 p. 33

1 01 Are / watching a movie
02 is not[isn't] washing the dishes
03 is not[isn't] cleaning her room
04 Are / planting a tree
05 Is / sleeping on the sofa
06 Are / eating spaghetti
07 am not helping my mom
08 is not[isn't] studying English
09 Is / meeting your parents
10 are not[aren't] living in Canada
11 Are / running to the market
12 is not[isn't] moving the boxes

Chapter 07 과거진행형

Practice 1 p. 35

1 01 I was looking at the door.
02 He was doing his homework.
03 They were walking to the park.
04 I was not[wasn't] watching TV.
05 Sam and I were playing basketball.
06 Mike was not[wasn't] drawing the picture.
07 My sister was not[wasn't] eating the apple.
08 He was drinking milk.
09 I was walking my puppy.
10 Your classmates were cleaning the classroom.
11 They were building the bridge.
12 We were not[weren't] dancing.

Practice 2 p. 36

1 01 was going 02 was buying
03 wasn't cutting 04 were flying
05 weren't playing 06 was barking
07 were waiting 08 were telling
09 Were / sitting 10 Was / asking

Practice 3 p. 37

1 01 They were not[weren't] playing tennis.
02 I was not[wasn't] listening to the radio.
03 Was it eating my cookies?
04 The boy was not[wasn't] washing the car.
05 Were they making a kite?
06 Were your friends staying at the hotel?
07 Were you talking with Mike?
08 Was Jane watching a movie?
09 Was she drawing a zebra?
10 He was not[wasn't] reading the newspaper.
11 The boy was not[wasn't] running slowly.
12 Was Mike using my computer?

Chapter 08 it의 다양한 쓰임

Practice 1 p. 39

1 01 X 02 O 03 X 04 O
05 O 06 O 07 O 08 O
09 X 10 X 11 O 12 O
13 X 14 O 15 X

해석 및 해설

01 그것은 그의 자전거다.
02 오늘은 흐리다.
03 그것은 멋진 자동차다.
04 토요일이었다.
05 어제 비가 내렸다.
06 11월 20일이다.
07 10시 30분이다.
08 오늘은 덥다.
09 그것은 나의 가방이 아니다.
10 그것은 상자 안에 있다.
11 내 학교까지 2km이다.
12 봄이다.
13 그것은 좋은 파티였다.
14 지금 5시 정각이다.
15 그것은 내 엄마의 컴퓨터다.

Practice 2

p. 40

1
01 그것은 그녀의 책이다.
02 오늘은 월요일이다.
03 어제는 비가 왔다.
04 그것은 내 개가 아니다.
05 여기에서 멀지 않다.
06 지금 봄이다.
07 밖은 어둡다.
08 그것은 노란 연필이다.
09 오늘은 3월 20일이다.
10 겨울이었다.
11 지금은 7시 30분이다.
12 오늘은 6월 2일이다.

Practice 3

p. 41

1
01 What time is it now?
02 How is the weather?
03 What day is it today?
04 What is the date today?

해석 및 해설

01 A: 지금 몇 시니? B: 7시야.
02 A: 날씨가 어떠니? B: 맑아.
03 A: 오늘 무슨 요일이니? B: 목요일이야.
04 A: 오늘 며칠이니? B: 8월 3일이야.

2
01 It is ten five.
02 It was rainy
03 It is April (the) 10th
04 It is Monday morning.
05 It was cold and snowy
06 It is hot

Review Test 2

p. 42

01 ④ 02 swimming 03 flying 04 driving 05 ⑤
06 ⑤ 07 ⑤ 08 ④ 09 ③ 10 ③ 11 ① 12 ③
13 ① 14 ② 15 ② 16 ⑤ 17 ⑤ 18 ② 19 ④
20 ④ 21 ① 22 ③ 23 It
24 It was hot in the room.
25 Paul is not studying English now.
26 My dad is using a computer.
27 어제는 비가 내렸다.
28 오늘은 6월 20일이다.
29 They were looking at the clock.
30 He is running to the park.

해석 및 해설

01 *die의 진행형은 dying입니다.
02 그녀는 수영장에서 수영하고 있다.
03 미쉘은 연을 날리고 있다.
04 나의 아빠는 지금 운전하고 계시다.
05 ① 나는 노래하고 있다.
② 그 남자는 소파에 앉아 있다.
③ 그는 침대에서 자고 있다.
④ 그들은 지금 천천히 걷고 있다.
*yesterday가 있으므로 was가 와야 합니다.
06 ① 그 소녀는 자전거를 타고 있다.
② 내 친구는 영어를 공부하고 있다.
③ 샘은 책을 읽고 있다.
④ 그 아기는 엄마와 함께 놀고 있다.
10 사라, 뭐하고 있니?
① 엄마는 감자를 굽고 있다.
② 내 누나는 카드를 만들고 있다.
③ 나는 방을 청소하고 있다.
④ 오븐 안에 빵이 좀 있다.
⑤ 그녀는 쿠키를 먹고 있다.
11 여름이었다. / 아침 7시였다.
12 ① 여름에는 비가 많이 온다.
② 겨울이었다.
③ 그것은 내 배낭이 아니다.
④ 어제는 추웠다.
⑤ 바람이 분다.
*③은 대명사입니다.
13 ① 그것은 네 책이다.
② 맑다.
③ 5월 5일이다.
④ 대략 10km이다.
⑤ 밖은 어둡다.

*①은 대명사입니다.

14 A: 마이크, 뭘 보고 있니?
B: 나는 축구 경기를 보고 있어.

17 오늘 날씨가 어떠니?
① 겨울에는 눈이 많이 온다.
② 4월 10일이다.
③ 학교까지 20분 걸린다.
④ 그것은 그의 컴퓨터가 아니다.
⑤ 매우 춥다.

18 오늘은 며칠이니?
① 안이 어둡다.
② 4월 10일이다.
③ 토요일이다.
④ 어제였다.
⑤ 지금 비가 오고 있다.

19 지난밤에 그는 무엇을 하고 있었니?
② 그는 나와 저녁을 먹는다.
③ 그는 나와 저녁을 먹고 있다.
④ 그는 나와 저녁을 먹고 있었다.
⑤ 그는 나와 저녁을 먹지 않았다.

20 짐은 샤워를 하고 있다.

21 잭은 방망이로 야구공을 치고 있다.

22 너는 저녁을 먹고 있니?

23 밖에 비가 오고 있다. / 오늘은 화요일이다.

29 그는 시계를 봤다.

30 그는 공원으로 뛰어간다.

Chapter 09 방향 전치사

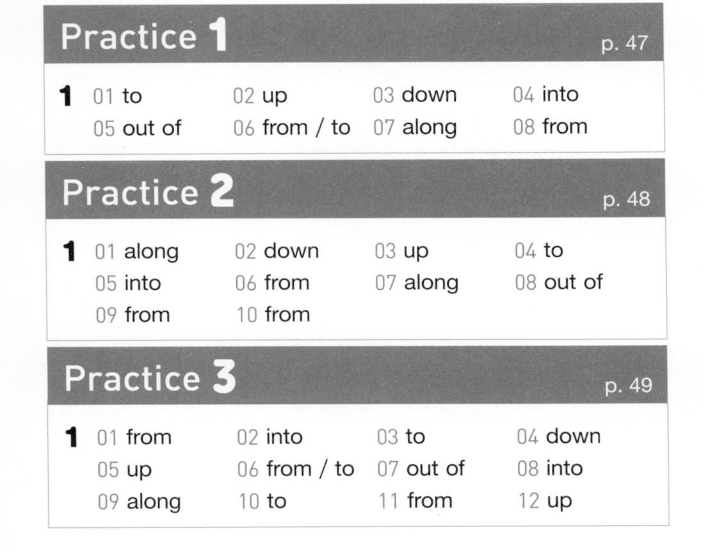

Practice 1 p. 47

1 01 to 02 up 03 down 04 into
05 out of 06 from / to 07 along 08 from

Practice 2 p. 48

1 01 along 02 down 03 up 04 to
05 into 06 from 07 along 08 out of
09 from 10 from

Practice 3 p. 49

1 01 from 02 into 03 to 04 down
05 up 06 from / to 07 out of 08 into
09 along 10 to 11 from 12 up

Chapter 10 빈도부사

Practice 1 p. 51

1 01 always 02 never 03 usually takes
04 are never 05 often 06 will never
07 seldom 08 always eat 09 usually
10 will sometimes 11 usually 12 often

Practice 2 p. 52

1 01 always 02 usually 03 never
04 always 05 usually 06 seldom
07 sometimes 08 often 09 never
10 usually 11 seldom 12 often

Practice 3 p. 53

1 01 is always open 02 am never late for school
03 will always help me 04 never drinks coffee
05 usually play soccer after school
06 often reads books at night
07 seldom listens to the radio
08 sometimes forget my name
09 usually cleans his room
10 are always busy in summer

Chapter 11 접속사 I

Practice 1 p. 55

1 01 and 02 because 03 but 04 or
05 and 06 and 07 so 08 or
09 and 10 or 11 because 12 so

Practice 2 p. 56

1 01 or 02 because 03 but 04 and
05 but 06 or 07 so 08 because
09 or 10 but 11 so 12 and

Practice 3 p. 57

1 01 and 02 so 03 because 04 and
05 or 06 so 07 but 08 and
09 or 10 because 11 or 12 and

Chapter 12 How + 형용사/부사

Practice 1

p. 59

1

01 long	02 old	03 much	04 tall
05 much	06 long	07 often	08 old
09 much	10 many	11 salt	12 long

Practice 2

p. 60

1

01 old	02 much	03 many	04 long
05 often	06 long	07 tall	08 old
09 often	10 much	11 much	12 tall

해석 및 해설

01 A: 네 아버지는 연세가 어떻게 되시니?
B: 그는 40세야.

02 A: 이 신발들은 얼마니?
B: 30달러야.

03 A: 그는 연필이 얼마나 있니?
B: 그는 연필이 다섯 개 있어.

04 A: 그 다리는 얼마나 기니?
B: 그것은 50m야.

05 A: 너는 해변에 얼마나 자주 가니?
B: 한 달에 한 번.

06 A: 너희는 호텔에 얼마나 오래 있었니?
B: 우리는 거기서 3일 동안 머물렀어.

07 A: 그는 키가 얼마니?
B: 그는 150cm야.

08 A: 그 나무는 얼마나 오래됐니?
B: 그것은 대략 100살이야.

09 A: 너는 얼마나 자주 체육관에 가니?
B: 나는 일주일에 세 번 그곳에 가.

10 A: 너는 치즈를 얼마나 원하니?
B: 나는 치즈 5장을 원해.

11 A: 너는 소금을 얼마나 원하니?
B: 나는 소금 2kg을 원해.

12 A: 그 타워는 얼마나 높니?
B: 그것은 60m야.

Practice 3

p. 61

1

01 How old is	02 How many chairs are
03 How often do	04 How old is
05 How long do	06 How much money do
07 How long is	08 How tall is
09 How old is	10 How many potatoes do
11 How much salt do	12 How often does

해석 및 해설

01 A: 네 남동생은 몇 살이니?
B: 그는 10살이야.

02 A: 교실에는 의자가 얼마나 있니?
B: 교실에 의자가 20개 있어.

03 A: 너는 네 강아지를 얼마나 자주 산책시키니?
B: 나는 하루에 한 번 내 강아지를 산책시켜.

04 A: 그 박물관은 얼마나 오래됐니?
B: 그것은 50년 됐어.

05 A: 너는 얼마나 오래 피아노를 연습하니?
B: 나는 2시간 동안 연습해.

06 A: 너는 돈이 얼마나 필요하니?
B: 나는 5달러가 필요해.

07 A: 그 강은 얼마나 기니?
B: 그것은 150km야.

08 A: 그 나무는 얼마나 높니?
B: 그것은 2m 높이야.

09 A: 네 할아버지는 연세가 어떻게 되시니?
B: 그는 80세야.

10 A: 너는 감자를 얼마나 원하니?
B: 나는 감자 8개를 원해.

11 A: 너는 소금을 얼마나 원하니?
B: 나는 소금 2kg을 원해.

12 A: 그는 얼마나 자주 낚시하러 가니?
B: 그는 한 달에 한 번 낚시하러 가.

Review Test 3

p. 62

01 ⑤ 02 ④ 03 ③ 04 ① 05 ⑤ 06 ② 07 ③
08 ⑤ 09 along 10 up 11 ② 12 ③ 13 ⑤
14 ① 15 ③ 16 ② 17 ① 18 ② 19 ③
20 ⑤ 21 ⑤ 22 How often 23 How tall
24 so 25 or 26 never 27 sometimes play baseball after school 28 (1) Mike seldom washes the dishes.
(2) Jessie is never late for class.
29 싱가포르에는 때때로 비가 오지만 결코 눈이 오지 않는다.
30 (1) because (2) so

해석 및 해설

05 ① 나는 보통 일요일에 야구를 한다.
② 나는 때때로 영화를 보러 간다.
③ 수지는 항상 7시에 일어난다.
④ 그는 학교에 결코 늦지 않는다.
*빈도부사는 조동사 다음에 위치합니다.

[06-07]
• 샐리는 자주 사전을 사용한다.
• 에이미는 항상 사전을 사용한다.
• 마이크는 결코 사전을 사용하지 않는다.
• 짐은 때때로 사전을 사용한다.
• 수잔은 한 달에 두 번 사전을 사용한다.

08 ⑤ 그는 종종 그의 친구들과 축구를 한다.
*빈도부사는 일반동사 앞이나 be동사와 조동사 다음에 위치합니다.

09 그들은 해변을 따라 걸었다.

10 그는 사다리를 올라가고 있다.

11 나는 샘을 좋아하지만 그는 나를 좋아하지 않는다.

12 나는 학교에 늦었다, 왜냐하면 나는 늦게 일어났기 때문이다.

13 나는 내일 시험이 있다, 그래서 나는 열심히 공부해야 한다.

14 ① 나는 사과, 바나나, 그리고 배를 좋아한다.
② 택시를 타라, 그러면 너는 첫 기차를 잡을 것이다.
③ 여기서 기다려라, 그러면 너는 왕을 만날 것이다.
④ 그냥 열심히 해라, 그러면 너는 다음에 잘 할 것이다.
⑤ 지금 일어나라, 그러면 너는 학교에 늦지 않을 것이다.

15 그들은 밖에 나가지 않았다, 왜냐하면 비가 내렸기 때문이다.
나는 피아니스트가 되고 싶다, 왜냐하면 나는 피아노 치는 것을 좋아하기 때문이다.

16 차 드시겠어요 아니면 커피 드시겠어요?
서둘러라, 그렇지 않으면 늦을 것이다.

17 너의 아버지는 얼마나 자주 설거지를 하시니?
① 일주일에 한 번.
② 그는 키가 매우 커.
③ 고마워.
④ 버스로.
⑤ 대략 한 시간 동안.

18 A: 그 다리는 얼마나 기니?
B: 그것은 50m야.

19 A: 네 형은 키가 얼마나 크니?
B: 그는 160cm야.

20 나는 2시간 동안 기타를 연습한다.
① 그 기타는 얼마니?
② 그 기타는 얼마나 기니?
③ 너는 기타가 얼마나 있니?
④ 너는 얼마나 자주 기타를 연습하니?
⑤ 너는 기타를 얼마 동안 연습하니?

21 ① A: 너는 얼마나 자주 머리를 자르니?
B: 한 달에 한 번.
② A: 너는 일요일에 얼마 동안 컴퓨터 게임을 하니?
B: 2시간 동안.
③ A: 네가 좋아하는 과목은 뭐니?
B: 나는 음악을 좋아해.
④ A: 이 수박은 얼마니?
B: 10달러야.
⑤ A: 네 반에는 학생이 얼마나 있니?
B: 그들은 매우 키가 커.

22 A: 너는 얼마나 자주 조깅하니?
B: 나는 일주일에 세 번 조깅해.

23 A: 네 누나는 키가 얼마나 크니?
B: 그녀는 150cm야.

24 무척 더웠다, 그래서 나는 에어컨을 틀었다.

25 지금 일어나라, 그렇지 않으면 너는 학교에 늦을 것이다.

28 (1) 마이크는 거의 설거지를 하지 않는다.
(2) 제시는 결코 수업에 늦지 않는다.

30 그 아기는 배고프다. / 그 아기는 울고 있다.
(1) 그 아기는 울고 있다, 왜냐하면 그는 배고프기 때문이다.
(2) 그 아기는 배고프다, 그래서 울고 있다.

Chapter 13 조동사 will

Practice 1

p. 67

1 01 will learn 02 will wait for
03 won't solve 04 will go
05 Will / climb 06 Will / read
07 will swim 08 will clean
09 will stay 10 won't come back
11 Will / join 12 will rain

Practice 2

p. 68

1 01 I will help them
02 She will watch the movie.
03 She will study English at night.
04 She won't play the piano.
05 They will come back soon.
06 My mom will make cookies for me.
07 Mike won't visit the museum.
08 Will you clean your room?
09 Will you close the window?
10 Will she go hiking tomorrow?
11 Will you stop playing computer games?
12 My dad won't take care of my cat.

해석 및 해설

01 나는 그들을 돕는다.
02 그녀는 영화를 본다.
03 그녀는 밤에 영어 공부를 한다.
04 그녀는 피아노를 치지 않는다.
05 그들은 곧 돌아온다.
06 나의 엄마는 나를 위해 쿠키를 만든다.
07 마이크는 박물관을 방문하지 않는다.
08 너는 네 방을 청소한다.
09 그 창문을 닫아라.
10 그녀는 내일 하이킹을 갈 것이다.
11 컴퓨터 게임하는 것을 그만해라.
12 나의 아빠는 나의 고양이를 보살핀다.

Practice 3

p. 69

1 01 We will sing
02 I will buy some apples
03 will wash the dishes
04 will be a great scientist
05 will not[won't] use your cellphone
06 He will not[won't] go shopping
07 Will he visit his uncle
08 Will you go hiking
09 will be easy
10 It will not[won't] be sunny
11 Will you turn on the light?
12 Would[Will] you close the window?

Chapter 14 must와 have to

Practice 1

p. 71

1 01 has to
02 must
03 must
04 must not
05 have to
06 must not
07 must
08 must
09 don't have to
10 must not
11 doesn't have to
12 bring

해석 및 해설

05 *조동사 Do가 있으므로 have to를 써야 합니다.
06 *don't have to는 '~할 필요가 없다'라는 의미입니다.
08 *had to는 과거형입니다.

Practice 2

p. 72

1 01 have to[must]
02 must not
03 must not
04 don't have to
05 have to[must]
06 must not
07 must not
08 have to[must]
09 has to[must]
10 must not

해석 및 해설

01 너는 식사 전에는 손을 씻어야 한다.
02 너는 여기에 주차하면 안 된다.
03 너는 차에서 흡연하면 안 된다.
04 오늘은 일요일이다. 너는 오늘 학교에 갈 필요가 없다.
05 너는 두통이 있다. 너는 병원에 가야 한다.
06 너는 강에서 수영하면 안 된다.
07 너는 여기서 휴대전화를 사용하면 안 된다.
08 너는 안전벨트를 해야 한다.
09 벌써 8시다. 그는 지금 일어나야 한다.
10 엘리베이터가 고장났다. 너는 엘리베이터를 사용하면 안 된다.

Practice 3

p. 73

1 01 don't have to clean
02 have to[must] be quiet
03 have to[must] get up
04 have to[must] come back
05 must not skip
06 doesn't have to work
07 had to attend the meeting
08 don't have to take
09 have to[must] wear
10 have to read
11 must not lie
12 has to[must] go to the bank

Chapter 15 조동사 can

Practice 1 p. 75

1 01 can speak 02 can't[cannot] play
03 able to climb 04 can't[cannot] meet
05 is not able / fix 06 Can / understand
07 can swim 08 can find
09 can't[cannot] answer 10 Can I ride
11 Can I ask 12 Could[Can] you / open

Practice 2 p. 76

1 01 I can help them
02 She can't[cannot] go to the movies.
03 She is able to speak English.
04 Can she play the piano?
05 They can't[cannot] come back before dinner.
06 My mom isn't[is not] able to make cookies.
07 My friends are able to swim fast.
08 Could you lend me some money?
09 Can you close the window?
10 Can she go hiking with me?
11 You can't[cannot] take pictures in the museum.
12 My dad isn't[is not] able to ride a horse.

해석 및 해설

01 나는 그들을 돕는다. 02 그녀는 영화를 보러 간다.
03 그녀는 영어로 말한다. 04 그녀는 피아노를 친다.
05 그들은 저녁식사 전에 돌아온다.
06 나의 엄마는 쿠키를 만든다. 07 내 친구들은 빠르게 수영한다.
08 너는 나에게 돈을 좀 빌려준다. 09 너는 창문을 닫는다.
10 그녀는 나와 함께 하이킹을 간다.
11 너는 박물관에서 사진을 찍는다. 12 나의 아빠는 말을 타신다.

Practice 3 p. 77

1 01 Can you open the door?
02 We can buy fresh vegetables
03 Can you wash the dishes
04 can be a great scientist
05 can't come to your party
06 We can use our dictionaries
07 Can / walk fast
08 can play tennis
09 can drive a bus
10 Can / use your computer
11 Can / go shopping with me
12 You can go home

Chapter 16 감탄문

Practice 1 p. 79

1 01 What 02 How 03 What 04 How
05 How 06 What 07 What 08 How
09 How 10 What 11 How 12 How

Practice 2 p. 80

1 01 What a wonderful trip
02 What a kind girl
03 What a strong man
04 What a nice car!
05 What a simple answer it is!
06 How quickly they grow up!
07 What interesting books they are!
08 What a cheap watch it is!
09 How useful this computer is!
10 How beautiful the flowers are!
11 What a good friend he is!
12 What big hands he has!

Practice 3 p. 81

1 01 What a nice party it is!
02 How strong the boys are!
03 What an exciting game it was!
04 What a good dog she has!
05 What a funny movie this is!
06 How wonderful the music is!
07 What a good time we had!
08 How diligent you are!
09 How kind he is!
10 What a lovely day it is!
11 What nice caps she has!
12 How interesting the magazine is!

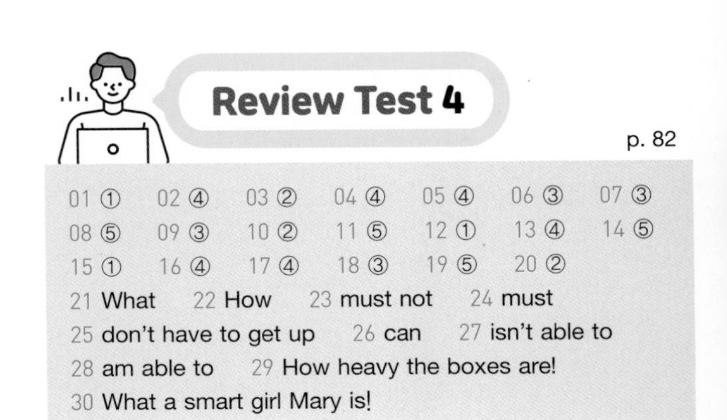

Review Test 4 p. 82

01 ① 02 ④ 03 ② 04 ④ 05 ④ 06 ③ 07 ③
08 ⑤ 09 ③ 10 ② 11 ⑤ 12 ① 13 ④ 14 ⑤
15 ① 16 ④ 17 ④ 18 ③ 19 ⑤ 20 ②
21 What 22 How 23 must not 24 must
25 don't have to get up 26 can 27 isn't able to
28 am able to 29 How heavy the boxes are!
30 What a smart girl Mary is!

해석 및 해설

03 ① 나는 방을 청소해야 한다.
③ 그들은 지금 떠나야 한다.
④ 우리는 집에 가야 한다.
⑤ 그는 오늘 집에 머물 것이다.
*3인칭 단수 주어에는 has to가 와야 합니다.

04 ① 그녀를 돌보다 ② 설거지하다
③ 점심을 가져오다 ④ 집에 머물다
⑤ 숙제를 하다
*has to 다음에는 동사원형이 와야 합니다.

05 *must나 have to 다음에는 동사원형이 와야 합니다.

06 *late는 '늦은'이란 형용사로 '늦다'는 be late가 되어야 합니다.

07 *don't/doesn't have to는 '~할 필요가 없다'라는 의미입니다.

08 *과거 was가 왔으므로 과거동사로 써야 합니다.

11 민지는 자전거를 탈 수 있다.

12 너는 설거지를 도와줄 수 있니?
*요청에는 Sure. / No, problem. / Okay. / I am sorry, but I can't. 등으로 답할 수 있습니다.

13 그는 캐나다에서 왔다. 그래서 영어로 말할 수 있다.

14 나는 너를 도울 수 없다. 왜냐하면 나는 오늘 바쁘기 때문이다.

15 너는 유니폼을 입을 필요가 없다.

17 ① 정말 욕심이 많구나!
② 그것은 정말 멋진 자동차구나!
③ 정말 멋진 파티구나!
⑤ 그 동물은 정말 크구나!
*형용사 beautiful 감탄은 How로 합니다.

18 그는 매우 멋진 소년이다.

19 그 자동차는 매우 멋지다.

20 ① 그녀는 매우 예쁘다.
② 그들은 정말 멋진 소년들이다.
③ 이것은 정말 멋진 학교다.
④ 그 꽃은 정말 아름답다.
⑤ 이것은 멋진 선물이다.
*명사에 대한 감탄은 What으로 합니다.
What nice boys they are!

21 그것들은 정말 아름다운 꽃들이구나!

22 그녀는 정밀 아름답게 노래하는구나!

23 너는 박물관 안에서 사진을 찍으면 안 된다.

24 너희들은 얼굴 마스크를 써야 한다.

27 그는 자전거를 탈 수 없다.

28 나는 강에서 수영할 수 있다.

29 그 상자들은 정말 무겁다.

30 메리는 매우 똑똑한 소녀다.

실전모의고사 1회

01 ⑤	02 ①	03 ②	04 ③	05 ③	06 ②	07 ⑤
08 ①	09 ⑤	10 ③	11 ⑤	12 from		13 ④
14 ④	15 ⑤	16 ⑤	17 ③	18 ②	19 ④	

20 What nice cars they are!

해석 및 해설

01 나는 물 한 병이 필요하다.

02 양동이에 물이 조금도 없다.
*부정문에는 any를 씁니다.

03 교실에 학생들이 몇 명 있다.
*a few는 복수명사와 함께 씁니다.

04 동물원에는 많은 동물들이 있다.

05 *셀 수 있는 명사의 부정의 의미에는 few를 씁니다.

07 *cut은 cutting입니다.

08 9시다. / 어제는 바람이 불었다.
*시각과 날씨를 나타내는 비인칭 주어가 필요합니다.

09 오늘 날씨가 어떠니?
① 안은 어둡다.
② 4월 10일이다.
③ 토요일이다.
④ 어제였다.
⑤ 지금 비가 내리고 있다.

10 수지는 그림을 그리고 있다.

11 *빈도부사 seldom은 '거의 ~않는'이란 의미입니다.

12 그는 월요일에서 금요일까지 일한다.

13 택시를 타라. 그렇지 않으면 너는 인터뷰에 늦을 것이다.

14 ① 나는 보통 일요일에 산책한다.
② 나는 때때로 삼촌을 방문한다.
③ 수지는 언제나 아침을 먹는다.
⑤ 우리는 항상 너를 사랑할 것이다.
*빈도부사는 be동사와 조동사 뒤, 일반동사 앞에 위치합니다.

15 나는 늦게 일어났다. 그래서 학교버스를 놓쳤다.

16 너는 얼마 동안 피아노 연습을 하니?
① 그것은 쉽지 않다.
② 나는 피아노가 있다.
③ 그것은 800달러다.
④ 나는 일주일에 2번 피아노 연습을 한다.
⑤ 나는 2시간 동안 피아노 연습을 한다.

17 미나는 자전거를 탈 수 있다.

19 그 소년은 매우 키가 크다.
*형용사 tall 감탄문은 How를 이용해서 표현합니다.

20 그것들은 멋진 자동차들이다.

실전모의고사 2회

01 ③ 02 ③ 03 ⑤ 04 ④ 05 ④ 06 ④ 07 ① 08 ③ 09 It 10 down 11 ② 12 ① 13 ③ 14 and 15 ② 16 ⑤ 17 sometimes 18 much 19 ④ 20 How smart she is!

해석 및 해설

01 나는 커피가 조금 먹고 싶다. / 바구니에 사과가 조금 있다.

02 나는 피자 두 조각이 있다. / 그는 치즈 세 조각이 필요하다.

03 ① 엄마는 소금이 조금 필요하다.
② 그는 연이 많다.
③ 너는 집에 애완동물이 좀 있니?
④ 음식을 좀 드실래요?
*셀 수 없는 명사 앞에는 a little이 옵니다.

04 그 야구모자는 ________ 이 아니다.
*명사를 포함하는 소유대명사가 와야 합니다.

05 식탁 위에는 ________ 조금 있다.
*a few 다음에는 셀 수 있는 명사가 와야 합니다.

06 *부정문에는 any를 씁니다.

07 그녀는 선글라스를 쓰고 있다.

08 ① 겨울에는 눈이 많이 온다.
② 10월 10일이다.
③ 그것은 그의 방이 아니다.
④ 어제는 매우 더웠다.
⑤ 바람이 분다.
*비인칭 주어 it과 대명사를 구분하세요.

09 밖은 어둡다. / 오늘은 토요일이다.

10 그는 계단을 내려가고 있다.

11 *often은 '자주', '종종'이라는 의미의 빈도부사입니다.

12 너는 얼마나 자주 동물원에 가니?
① 한 달에 한 번.
② 멀지 않다.
③ 지하철로.
④ 그것은 매우 크다.
⑤ 대략 2시간 동안.

13 A: 그 타워는 얼마나 높니?
B: 80m 높이야.

14 열심히 공부해라, 그러면 시험에 통과할 것이다.

16 그는 캐나다에서 왔지만 영어로 말하지 못한다.

18 A: 그 모자는 얼마니?
B: 그것은 20달러야.

19 너는 한국어를 할 수 있니?
*can으로 물어보면 can으로 대답합니다.

20 그녀는 매우 영리하다.

실전모의고사 3회

01 ⑤ 02 ⑤ 03 ④ 04 ④ 05 bowl 06 ⑤ 07 ⑤ 08 ③ 09 ② 10 ② 11 It 12 into 13 ③ 14 ⑤ 15 and 16 ⑤ 17 often play baseball after school 18 have to / must 19 ④ 20 How

해석 및 해설

01 *student는 셀 수 있는 명사입니다.

02 상자 안에는 ________ 거의 없다.
*few가 있으므로 셀 수 없는 명사는 올 수 없습니다.

03 바닥에 ________ 안경이 있다.
*뒤에 명사 glasses가 있으므로 소유대명사는 올 수 없습니다.

04 *셀 수 있는 명사의 긍정은 a few를 씁니다.

06 ① 지금 눈이 오고 있다.
② 4월 4일이다.
③ 화요일이다.
④ 동물원까지 2km이다.
⑤ 그것은 매우 비싸다.
*비인칭 주어 it은 따로 해석하지 않습니다.

08 너는 지금 뭐하고 있니?
① 나는 저녁을 먹었다.
② 나는 7시에 저녁을 먹는다.
③ 나는 저녁을 먹고 있다.
④ 나는 저녁을 먹고 있었다.
⑤ 나는 저녁을 먹지 않는다.
*현재진행형으로 물으면 현재진행형으로 대답합니다.

11 어제는 비가 내렸다.

12 그녀는 동전을 자동판매기에 넣는다.

13 ③ 신디는 때때로 수영하러 간다.
*sometimes는 문장 앞에 올 수도 있습니다.

14 *cry는 crying로 그냥 ing를 붙입니다.

15 지금 일어나라, 그러면 너는 학교에 늦지 않을 것이다.

16 서둘러라, 그렇지 않으면 늦을 것이다.
나는 사과, 바나나, 그리고 배를 좋아한다.

19 ① 그는 정말 영리하구나!
② 그것은 정말 멋진 자동차구나!
③ 정말 큰 집이구나!
⑤ 그 꽃은 정말 아름답구나!
*How 다음에는 형용사나 부사가 옵니다.

WORKBOOK & ANSWERS

Inkbool
www.inkbooks.co.
구매문의 02) 455 9

Grammar House 3

실전모의고사 1회

Chapter 1 ~ Chapter 16

이름 :

점수 :

[01–03] 다음 중 빈칸에 알맞은 것을 고르세요.

01

I need a ____________ of water.

① loaf ② slice
③ piece ④ bowls
⑤ bottle

02

There isn't ____________ water in the bucket.

① any ② many
③ some ④ a few
⑤ all

03

There are a few ____________ in the classroom.

① boy ② students
③ blackboard ④ girl
⑤ chair

04 다음 중 밑줄 친 말을 대신할 수 있는 것을 고르세요.

There are <u>many</u> animals in the zoo.

① much ② a few
③ a lot of ④ a little
⑤ a lot

[05–06] 다음 중 우리말을 영어로 바르게 쓴 것을 고르세요.

05

그는 친구가 거의 없다.

① He has little friends.
② He has a little friends.
③ He has few friends.
④ He has a few friends.
⑤ He isn't have much friends.

06

저 책은 나의 것이 아니다.

① That book is not his.
② That book is not mine.
③ That book is not yours.
④ That book is not theirs.
⑤ That book is not hers.

07 다음 중 동사의 –ing형으로 바르지 <u>않은</u> 것을 고르세요.

① take - taking ② play - playing
③ make - making ④ study - studying
⑤ cut - cuting

08 다음 중 문장의 빈칸에 공통으로 알맞은 것을 고르세요.

• ____________ is 9 o'clock.
• ____________ was windy yesterday.

① It ② He ③ They
④ She ⑤ I

09 다음 중 질문에 알맞은 대답을 고르세요.

How is the weather today?

① It's dark inside.
② It's April 10th.
③ It's Saturday.
④ It was yesterday.
⑤ It's raining now.

10 다음 그림을 보고 빈칸에 알맞은 말을 고르세요.

Susie is ____________ a picture.

① playing ② selling ③ drawing
④ buying ⑤ telling

11 다음 중 우리말을 영어로 바르게 쓴 것을 고르세요.

그는 그의 방을 거의 청소하지 않는다.

① He usually cleans his room.
② He always cleans his room.
③ He never cleans his room.
④ He often cleans his room.
⑤ He seldom cleans his room.

12 다음 중 빈칸에 알맞은 전치사를 쓰세요.

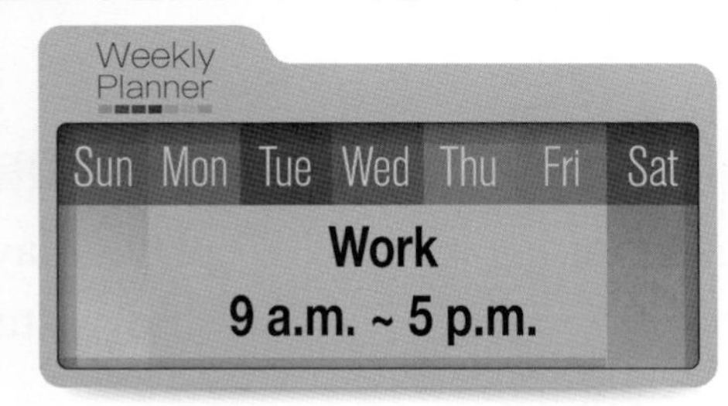

He works ________ Monday to Friday.

13 다음 중 빈칸에 알맞은 것을 고르세요.

Take a taxi, ________ you will be late for the interview.

① and ② but ③ because
④ or ⑤ so

14 다음 중 빈도부사의 위치가 바르지 않은 것을 고르세요.

① I usually take a walk on Sunday.
② I sometimes visit my uncle.
③ Susie always eats breakfast.
④ He drinks never coffee.
⑤ We will always love you.

15 다음 중 빈칸에 알맞은 것을 고르세요.

I got up late, ________ I missed the school bus.

① and ② but ③ because
④ or ⑤ so

16 다음 중 질문에 알맞은 대답을 고르세요.

How long do you practice the piano?

① It's not easy.
② I have a piano.
③ It's 800 dollars.
④ I practice the piano twice a week.
⑤ I practice the piano for two hours.

17 다음 중 밑줄 친 부분과 의미가 같은 것을 고르세요.

Mina can ride a bicycle.

① must ② will ③ is able to
④ have to ⑤ won't

18 다음 중 우리말을 영어로 바르게 쓴 것을 고르세요.

헬멧을 착용할 필요가 없다.

① You don't wear a helmet.
② You don't have to wear a helmet.
③ You must not wear a helmet.
④ You cannot wear a helmet.
⑤ You will not wear a helmet.

19 다음 중 문장을 감탄문으로 바르게 바꾼 것을 고르시오.

The boy is very tall.

① What tall boy he is!
② What very tall boy he is!
③ How a nice boy he is!
④ How tall the boy is!
⑤ What tall is the boy!

20 다음 문장을 감탄문으로 바꿔보세요.

They are very nice cars.

→ ________________

Grammar House 3

실전모의고사 2회

Chapter 1 ~ Chapter 16

이름 :

점수 :

[01–02] 다음 중 빈칸에 공통으로 알맞은 것을 고르세요.

01

- I would like ______________ coffee.
- There are ______________ apples in the basket.

① any ② many ③ some
④ much ⑤ all

02

- I have two ______________ of pizza.
- He needs three ______________ of cheese.

① glasses ② cups ③ pieces
④ bowls ⑤ bottles

03 다음 중 밑줄 친 부분이 어색한 문장을 고르세요.

① My mom needs a little salt.
② He has a lot of kites.
③ Do you have any pets in your house?
④ Would you like some food?
⑤ I have a few cheese.

[04–05] 다음 중 빈칸에 올 수 없는 것을 고르세요.

04

The cap is not ______________.

① his ② hers ③ mine
④ their ⑤ yours

05

There are a few ______________ on the table.

① glasses ② spoons ③ cookies
④ cheese ⑤ bottles

06 다음 중 우리말을 영어로 바르게 쓴 것을 고르세요.

교실에 학생들이 하나도 없다.

① There are a few students in the classroom.
② There are a little students in the classroom.
③ There are any students in the classroom.
④ There aren't any students in the classroom.
⑤ There aren't some students in the classroom.

07 다음 중 그림을 보고 빈칸에 알맞은 것을 고르세요.

She is ______________ sunglasses.

① wearing ② selling ③ making
④ buying ⑤ telling

08 다음 중 it의 쓰임이 다른 하나를 고르세요.

① It snows a lot in winter.
② It is October 10th.
③ It is not his room.
④ It was very hot yesterday.
⑤ It is windy.

09 다음 빈칸에 공통을 들어갈 말을 쓰세요.

- ______________ is dark outside.
- ______________ is Saturday today.

→ ______________________________

10 다음 그림을 보고 빈칸에 알맞은 전치사를 쓰세요.

He is walking ______________ the stairs.

11 다음 중 우리말을 영어로 바르게 쓴 것을 고르세요.

그는 자주 밤에 음악을 듣는다.

① He usually listens to music at night.
② He often listens to music at night.
③ He sometimes listens to music at night.
④ He never listens to music at night.
⑤ He seldom listens to music at night.

12 다음 중 질문에 알맞은 대답을 고르세요.

How often do you go to the zoo?

① Once a month.
② It's not far.
③ By subway.
④ It's very big.
⑤ For about two hours.

13 다음 중 대화의 빈칸에 알맞은 것을 고르세요.

A: How ____________ is the tower?
B: It's 80 meters tall.

① much ② long ③ tall
④ often ⑤ old

14 다음 그림을 보고 빈칸에 알맞은 접속사를 쓰세요.

Study hard, ____________ you will pass the test.

15 다음 중 우리말을 영어로 바르게 쓴 것을 고르세요.

그 상자를 열지 말아야 한다.

① You can not open that box.
② You must not open that box.
③ You will not open that box.
④ You need not open that box.
⑤ You don't have to open that box.

16 다음 중 빈칸에 알맞은 것을 고르세요.

He is from Canada, but he ____________ speak English.

① will ② is able to
③ would ④ can
⑤ can't

17 다음 우리말과 일치하도록 빈칸에 알맞은 말을 쓰세요.

그녀는 가끔 아침에 커피를 마신다.

→ She ____________ drinks coffee in the morning.

18 다음 그림을 보고 대화의 빈칸에 알맞은 말을 고르세요.

A: How ____________ is the cap?
B: It's 20 dollars.

→ ____________

19 다음 중 질문에 알맞은 대답을 고르세요.

Can you speak Korean?

① Yes, I do. ② No, thanks.
③ No, I don't ④ Yes, I can.
⑤ No, you can't

20 다음 문장을 감탄문으로 바꾸세요.

She is very smart.

→ ____________

Grammar House 3

실전모의고사 3회

Chapter 1 ~ Chapter 16

이름 :

점수 :

01 다음 중 셀 수 없는 명사가 아닌 것을 고르세요.

① water ② milk ③ meat
④ sugar ⑤ student

[02-03] 다음 중 빈칸에 올 수 없는 것을 고르세요.

02

There are few ____________ in the box.

① apples ② coins ③ pencils
④ toys ⑤ meat

03

There are ____________ glasses on the floor.

① his ② her ③ my
④ ours ⑤ your

04 다음 중 우리말을 영어로 바르게 쓴 것을 고르세요.

그는 친구가 조금 있다.

① He has little friend.
② He has a little friend.
③ He has few friends.
④ He has a few friends.
⑤ He isn't have many friends.

05 다음 우리말과 일치하도록 빈칸에 알맞은 말을 쓰세요.

She eats a ____________ of soup in the morning. 그녀는 아침에 스프 한 그릇을 먹는다.

→ ____________________

06 다음 중 it의 쓰임이 다른 하나를 고르세요.

① It's snowing now.
② It is April 4th.
③ It is Tuesday.
④ It is 2 kilometers to the zoo.
⑤ It is very expensive.

07 다음 중 우리말을 영어로 바르게 쓴 것을 고르세요.

그들은 영화를 보고 있지 않았다.

① They don't watch a movie.
② They didn't watch a movie.
③ They aren't watching a movie.
④ They doesn't watch a movie.
⑤ They weren't watching a movie.

08 다음 중 질문에 알맞은 대답을 고르세요.

What are you doing now?

① I ate dinner.
② I eat dinner at 7.
③ I am eating dinner.
④ I was eating dinner.
⑤ I don't eat dinner.

[09-10] 다음 중 우리말과 일치하도록 빈칸에 알맞은 것을 고르세요.

09

He is rich, ____________ he is not happy.
그는 부자지만 행복하지 않다.

① and ② but ③ because
④ or ⑤ so

10

He jogs ____________ the street.
그는 거리를 따라 조깅한다.

① up ② along ③ into
④ out of ⑤ from

11 다음 그림을 보고 빈칸에 알맞은 말을 쓰세요.

_____________ was rainy yesterday.

→ ________________________________

12 다음 그림을 보고 빈칸에 알맞은 전치사를 쓰세요.

She puts some coins ____________ the vending machine.

→ ________________________________

13 다음 중 빈도부사의 위치가 맞는 것을 고르세요.

① I play never computer games.
② My friends always are busy.
③ Cindy sometimes goes swimming.
④ I get always up at seven.
⑤ He plays never soccer.

14 다음 중 동사의 -ing형이 잘못 연결된 것을 고르세요.

① cut - cutting ② send - sending
③ study - studying ④ sing - singing
⑤ cry - cring

15 다음 빈칸에 알맞은 말을 쓰세요.

Wake up now, ____________ you won't be late for school.

→ ________________________________

16 다음 중 빈칸에 들어갈 말로 바르게 짝지어진 것을 고르세요.

• Hurry up, ____________ you will be late. • I like apples, bananas, ____________ pears.

① and - or ② and - so
③ and - along ④ or - or
⑤ or - and

17 다음 우리말과 일치하도록 주어진 단어를 이용하여 문장을 완성하세요. (필요한 단어는 추가하세요.)

우리는 자주 방과 후에 야구를 한다. (after school / baseball / play)

→ We ________________________________.

18 다음 우리말과 일치하도록 빈칸에 알맞은 말을 쓰세요.

너는 교복을 입어야 한다.

→ You ____________ wear a school uniform.

19 다음 중 감탄문이 어색한 것을 고르세요.

① How smart he is!
② What a nice car it is!
③ What a big house!
④ How a diligent girl she is!
⑤ How beautiful the flower is!

20 다음 빈칸에 알맞은 말을 쓰세요.

____________ beautiful the sunset is! 석양이 정말 아름답구나!

→ ________________________________